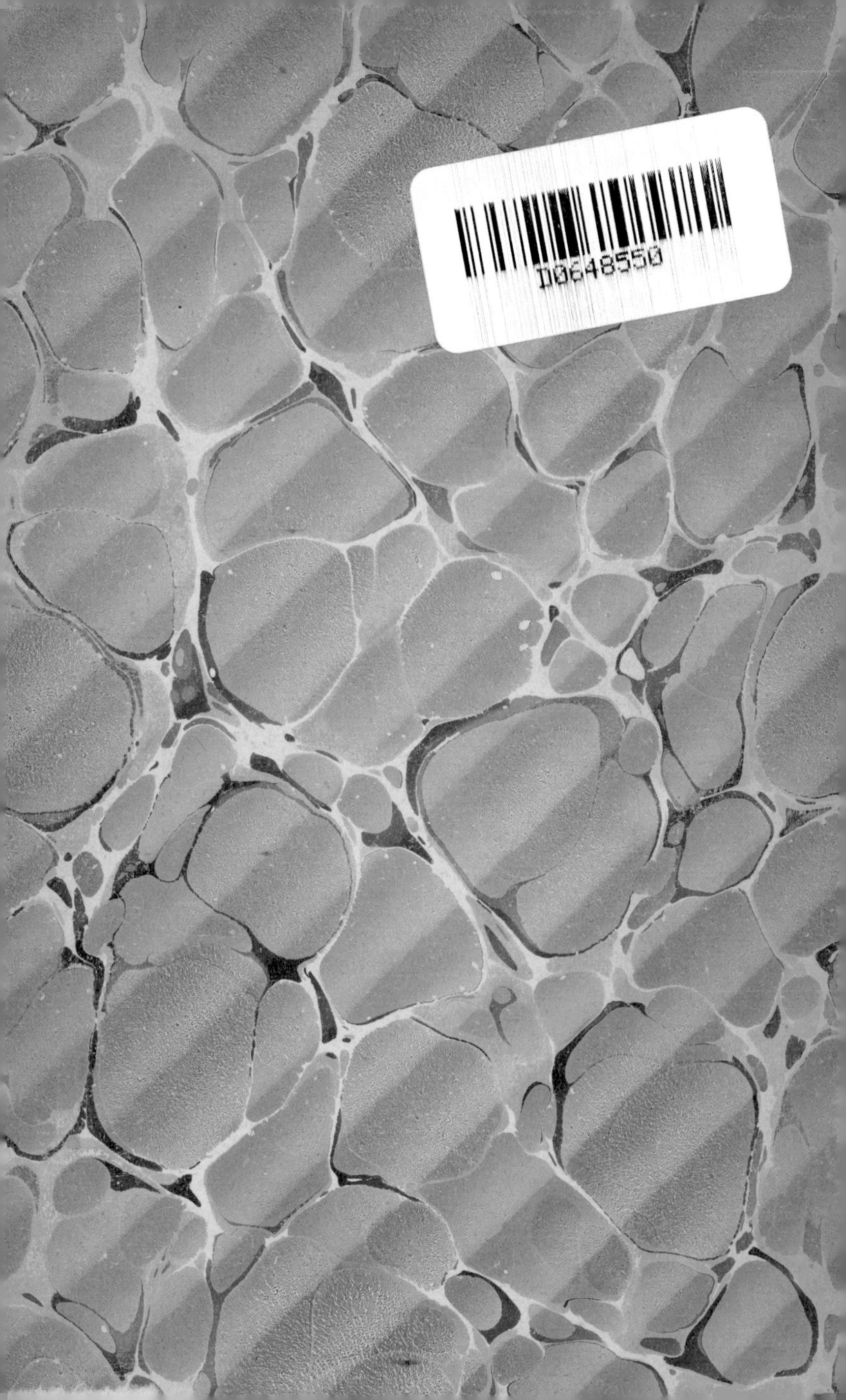
D0648550

LA VIE QUOTIDIENNE SOUS HENRI IV

" LA VIE QUOTIDIENNE "

Ouvrages parus *.

LA VIE QUOTIDIENNE AU TEMPS D'HOMÈRE *, Par Émile Mireaux, Membre de l'Institut.

LA VIE QUOTIDIENNE EN ÉGYPTE * Par Pierre Montet.

LA VIE QUOTIDIENNE A BABYLONE ET EN ASSYRIE *, Par G. Contenau.

LA VIE QUOTIDIENNE SUR LES RIVES DE L'EUPHRATE, Par A. Parrot.

LA VIE QUOTIDIENNE EN GRÈCE, Par Flacelière.

LA VIE QUOTIDIENNE A CARTHAGE, Par G. et C. Charles-Picard *.

LA VIE QUOTIDIENNE A ROME *, Par Jérôme Carcopino, Membre de l'Académie française.

LA VIE QUOTIDIENNE EN GAULE *, Par Paul-Marie Duval.

LA VIE QUOTIDIENNE DES MUSULMANS AU MOYEN AGE * (Xe au XIIIe siècle), Par Aly Mazaheri.

LA VIE QUOTIDIENNE EN CHINE AU XIIIe SIÈCLE, Par J. Gernet.

LA VIE QUOTIDIENNE DANS L'INDE ANCIENNE, Par J. Auboyer.

LA VIE QUOTIDIENNE AU TEMPS DE SAINT LOUIS *, Par Edmond Faral, Membre de l'Institut.

LA VIE QUOTIDIENNE AU TEMPS DE JEANNE D'ARC *, Par Marcelin Defourneaux.

LA VIE QUOTIDIENNE AU TEMPS DES DERNIERS INCAS *, Par L. Baudin, Membre de l'Institut.

LA VIE QUOTIDIENNE DES AZTÈQUES A LA VEILLE DE LA CONQUÊTE ESPAGNOLE *, Par Jacques Soustelle.

LA VIE QUOTIDIENNE EN FRANCE AU TEMPS DE LA RENAISSANCE *, Par Abel Lefranc, Membre de l'Institut.

LA VIE QUOTIDIENNE EN ESPAGNE AU SIÈCLE D'OR, Par M. Defourneaux.

LA VIE QUOTIDIENNE A FLORENCE AU TEMPS DES MÉDICIS, Par Lucas-Dubreton *.

LA VIE QUOTIDIENNE EN ANGLETERRE SOUS ÉLISABETH *, Par Léon Lemonnier.

LA VIE QUOTIDIENNE SOUS HENRI IV *, Par Ph. Erlanger.

LA VIE QUOTIDIENNE AU TEMPS DE LOUIS XIII *, Par Émile Magne.

LA VIE QUOTIDIENNE SOUS LOUIS XIV *, Par G. Mongrédien.

LA VIE QUOTIDIENNE SOUS LOUIS XV *, Par Charles Kunstler, Membre de l'Institut.

LA VIE QUOTIDIENNE SOUS LOUIS XVI *, Par Charles Kunstler, Membre de l'Institut.

LA VIE QUOTIDIENNE A VIENNE (MOZART ET SCHUBERT), Par M. Brion.

LA VIE QUOTIDIENNE AU TEMPS DE LA RÉVOLUTION *, Par Jean Robiquet.

LA VIE QUOTIDIENNE AU TEMPS DE NAPOLÉON *, Par Jean Robiquet.

LA VIE QUOTIDIENNE EN FRANCE EN 1830 *, Par Robert Burnand.

LA VIE QUOTIDIENNE EN ALLEMAGNE A L'ÉPOQUE ROMANTIQUE, Par G. Bianquis.

LA VIE QUOTIDIENNE AUX ÉTATS-UNIS A LA VEILLE DE LA GUERRE DE SÉCESSION *, Par Robert Lacour-Gayet.

LA VIE QUOTIDIENNE SOUS LE SECOND EMPIRE *, Par Maurice Allem.

LA VIE QUOTIDIENNE EN FRANCE DE 1870 A 1900 *, Par Robert Burnand.

LA VIE QUOTIDIENNE EN RUSSIE AU TEMPS DU DERNIER TSAR, Par Henri Troyat.

●

LA VIE EN CHINE *, Par Mme O. Lang.

PHILIPPE ERLANGER

LA VIE QUOTIDIENNE SOUS HENRI IV

HACHETTE

La gravure de la Couverture représente LES PATINEURS SUR LA SEINE. (Bois inconnu, École hollandaise, 1608).
(Musée Carnavalet.)

AVANT-PROPOS

Le plan *de ce travail diffère quelque peu de celui qu'on retrouve dans la plupart des livres de la collection. A beaucoup d'égards la vie des Français était la même à la fin de la Renaissance, sous Henri IV et sous Louis XIII. Il n'a donc pas semblé nécessaire d'insister sur des points parfaitement mis en lumière par d'autres ouvrages* [1].

En revanche, les sujets du Vert Galant avaient une mentalité si éloignée de la nôtre qu'il nous est difficile de la concevoir. C'est pourquoi nous avons cru devoir consacrer une assez large place à l'évocation d'un climat psychologique qui explique seul les « grandes actions et les grands crimes » de ces hommes exceptionnels.

1. En ce qui concerne notamment les voyages, voir le livre de M. Abel Lefranc : *La Vie quotidienne au temps de la Renaissance.*

INTRODUCTION

I. — La France de 1589

Une heure après l'assassinat de Henri III la France était plongée dans une incroyable anarchie. La duchesse de Montpensier, instigatrice du crime, faisait distribuer à Paris des écharpes vertes. Parodiant le deuil, elle donnait ainsi à la capitale la livrée des fous. Et c'était bien une folie collective que suscitait la fin du dernier Valois.

Quelle confusion!

Où était ce royaume dont l'empereur Maximilien disait que Dieu l'aurait donné à son fils cadet s'il en avait eu un? Où était son chef? En le cherchant, on trouvait un souverain légitime, Henri de Bourbon, hérétique, excommunié, réduit à la condition d'un chef de bandes ; Charles, cardinal de Bourbon, roi de la Sainte Ligue, reconnu par les deux tiers des Français, mais prisonnier de son neveu et rival ; une famille étrangère, les Guises, installée sur les marches du trône sans parvenir à y monter ; le parti catholique, entraîné par la Ligue, son aile marchante, formidable en apparence, tellement faible en réalité qu'il dépendait de l'ennemi héréditaire, le roi d'Espagne ; une république protestante du Midi ; un gouvernement révolutionnaire à Paris ; le retour d'un état féodal qui rendait les grands seigneurs maîtres absolus de leurs villes, de leurs châteaux, de leurs régiments ; des armées errantes moins cruelles à leurs ennemis qu'aux bourgs et aux campagnes systématiquement ravagés ; un épouvantable chaos économique ; plus de justice, plus de police, plus de commerce, plus de finances, plus de lois, sinon celles de la guerre.

Une guerre qui faisait rage entre catholiques et protestants, ligueurs et royalistes, Espagnols, alliés de la Ligue, Anglais, soutien des calvinistes ; une guerre à laquelle prenaient part joyeusement des mercenaires et des brigands venus du monde entier.

Le royaume de saint Louis et de François Ier était une proie à saisir, une terre vacante livrée à l'incendie, au pillage, à la famine, à la peste, bientôt à l'occupation étrangère. L'aspect le moins affligeant de ce tableau n'était pas l'âme des Français. Les meilleurs ne songeaient qu'à la défense de leur foi, les autres — la majorité — à celle de leurs intérêts. L'idée nationale, le principe de l'unité, pour lesquels Catherine de Médicis et Henri III avaient soutenu tant de rudes combats, paraissaient vaincus.

Deux puissances étaient nées que nous appellerions des Internationales religieuses et qui en s'opposant semblaient se légitimer mutuellement. Si le ligueur agissait en soldat non seulement du pape, mais du roi d'Espagne, le calviniste se sentait plus près du réformé de Genève ou d'Angleterre, du protestant d'Allemagne et de Hollande que de son compatriote catholique. Sans s'inquiéter de leur patrie des particuliers nouaient des alliances entre eux, par-dessus les frontières.

Les philosophes, accoutumés à observer l'évolution des empires, découvraient de bonnes raisons à cet effondrement politique et moral. La France qui, après la guerre de Cent Ans, était parvenue avant ses voisins à la maturité, devait maintenant subir une loi naturelle, céder le premier rang à des pays jeunes ou fraîchement ressuscités : l'Allemagne de la Réforme, l'Angleterre d'Elizabeth, l'Espagne des conquistadores. L'avenir se jouerait entre Rome et Genève, entre le lion britannique et l'aigle de la maison d'Autriche. Quel que fût le système dominant, les Français resteraient des satellites, des vassaux.

Phénomène digne de remarque, les progrès, les inventions de l'époque avaient précipité leurs divisions et leur décadence. La poste avait permis à Paris d'envoyer aux villes et communautés ligueuses son « programme de révolution cléricale [1] », tandis qu'un torrent de lettres coulait de Genève vers les protestants. Les libelles, les pamphlets suivaient les mêmes chemins. Le développement des communications multipliait la propagande. L'imprimerie rapprochait les esprits, la religion les castes, la poste les cités. « L'idée avait créé son outillage [2]. »

On n'aurait pas imaginé qu'il pût en résulter un tel désastre. A Paris régnait la terreur. « Il n'était pas permis de s'y montrer autre que ligueur. Les gens de bien y étaient exposés à la perte de leurs vies et de leurs biens et aux mouvements d'une populace furieuse et emportée que les moines, les curés et les prédicateurs excitaient continuellement au sang et au carnage, ne leur prêchant autre Évangile [3]. »

Depuis plusieurs mois la justice était rendue par un Parlement amputé de ses meilleurs conseillers qui croupissaient à la Bastille. Un *Conseil général de l'Union* était censé gouverner. Pour se rendre populaire il avait diminué la taille, autorisé les locataires à ne point payer de loyer et le clergé à ne point payer les rentes de l'Hôtel de Ville (charge qui lui incombait jusque-là). En fait, l'État ne recevait rien, ni les propriétaires, ni les rentiers. Une petite armée de mendiants et les campagnards de Paris, charbonniers, porteurs d'eau à la solde de la Ligue, empêchaient la révolte des bourgeois ainsi ruinés.

Il était d'ailleurs difficile de bouger entre les tenailles d'une des polices les plus féroces qu'on vît jamais. « Le grand cachot

1. Paul Robiquet : *Paris et la Ligue.*
2. Henry de Jouvenel : *Huit Cents Ans de Révolution française.*
3. L'Estoile : *Journal.*

de Paris, le grand cachot de Toulouse, ces villes devenues prisons, multipliaient la terreur dans une proportion horrible par quelque cent mille témoins s'espionnant les uns les autres, par la profondeur d'une inquisition mutuelle, domestique, intime jusqu'à s'accuser soi-même et se dénoncer à force de peur [1]. »

On s'écrasait dans les églises, car une absence remarquée pouvait entraîner les pires déboires. Mais la présence offrait aussi des dangers. Malheur à celui, à celle que le prédicateur dénonçait du haut de la chaire! Des bandes de garnements qui se pressaient aux portes leur faisaient dure justice.

D'autres exécutions ornées d'une parodie légale se succédaient à un rythme effrayant. Le bourreau ne chômait guère. Point de semaine qu'il n'eût à pendre quelqu'un « pour cause de trahison et conspiration contre la ville ». Les exaltés se pressaient à ce spectacle. Puis ils formaient des processions interminables où les femmes défilaient en chemise et pieds nus afin de plaire davantage au Seigneur.

Chacun avait licence de tuer pourvu qu'il déclarât sa victime suppôt de Calvin, partisan du Béarnais. « Tous lesquels meurtres étaient non seulement impunis à Paris, mais approuvés et loués comme vrais témoignages d'un bon zèle de la religion catholique [2]. »

Dès qu'on franchissait les portes, surgissait un autre fléau, le soldat. Si un bourgeois s'aventurait dans les faubourgs désolés, il était aussitôt pris, dépouillé, mis à rançon.

Sauf Bordeaux, Tours, Châlons, Langres et Clermont d'Auvergne qui reconnaissaient Henri IV, les grandes villes obéissaient à la Ligue et partageaient le sort de la capitale.

Les provinces divisées subissaient les combats et les razzias des gens de guerre vivant sur le pays. Cela d'ailleurs relevait d'une ancienne tradition.

1. Michelet : *Histoire de France.*
2. L'Estoile : *op. cit.*

Henri IV, le premier, tenta de limiter les méfaits de ses troupes, plaça sous la sauvegarde royale les paysans et leur bétail, fixa à vingt-quatre heures la durée du sac des villes conquises. Il en résulta de grandes protestations, car la mise à sac durait ordinairement trois jours : un pour piller, un pour emporter, un pour établir les rançons.

Les seigneurs royalistes ne le cédaient pas en rapacité à leurs adversaires. « Je courrai la vache et le ligueur tant que je pourrai, déclarait le sieur de Rieux, et n'y aura paysan laboureur, ni marchand autour de moi à dix lieues à la ronde qui ne passe par mes mains et ne me paye. » Des chants populaires de basse Bretagne ont perpétué le souvenir des atrocités commises dans cette région.

L'instinct de conservation opposait, cependant, au désordre une résistance spontanée qui s'organisait dès qu'elle en trouvait le moyen. Beaucoup de grands propriétaires s'efforçaient de protéger leurs domaines en observant une stricte neutralité. Ayant armé leurs tenanciers et conclu des ligues d'assurances mutuelles avec leurs voisins, ils parvenaient à maintenir une sécurité précaire. Jean de Vernyes, décrivant l'Auvergne, disait à Henri IV : « Quant à la noblesse, réduite à douze cents chefs de maison, il y en a huit cents qui ne se meuvent ni pour le bon, ni pour le mauvais parti, mais les uns, les plus ménagers, s'accommodent aux deux ; les autres, plus casaniers que guerriers, en attendant le vent, demeurent en leurs maisons. »

Malgré ces oasis, la détresse du royaume était poignante. Depuis les campagnes dépeuplées jusqu'aux universités, privées des trois quarts de leurs étudiants, partout apparaissaient les conséquences tragiques des guerres civiles : abandon de la culture, disettes, épidémies, aggravation régulière du brigandage que les bourreaux finissaient par enseigner aux victimes. D'où la formation de redoutables bandes paysannes : gautiers, croquants, chateauverts.

Beaucoup d'anciennes voies devenues impraticables se reconnaissaient seulement aux ormes (on disait les « heures ») plantés sous Henri II. La plupart des ponts n'existaient plus. Les autres étaient le théâtre des pires exactions. Souvent on les trouvait barrés de chaînes, flanqués de soldats, voire de bandits. Il n'était pas question de les franchir sans avoir largement ouvert sa bourse. Sur la Loire les péages s'étaient multipliés au point de rapporter tant au Roi qu'aux ligueurs 1 600 000 écus !

Un bateau partant de Nantes avec une charge de sel de 25 écus n'arrivait à Nevers qu'après avoir payé un droit de circulation de 100 écus ! Aucun bateau ne suivait le cours de la Seine, aucun charroi n'empruntait les chemins du Lyonnais. Le commerce en mourait et le chômage amenait au crime de nouvelles recrues.

L'industrie souffrait moins. Pourtant la production de drap était inférieure des trois quarts à celle des temps heureux. Si Provins conservait 1 800 métiers, si Rouen demeurait relativement prospère, Senlis, Meaux, Melun connaissaient une décadence cruelle. Le nombre des soyeux de Tours était tombé de 800 à 200. Les teinturiers de Paris, qui vers 1550 teignaient 600 000 pièces de drap chaque année, en recevaient à peine 100 000. La richesse du royaume s'en allait comme sa force, son prestige, son unité.

Jamais la France ne fut plus bas qu'en cette année 1589. Au début de septembre la cause de Henri IV paraissait perdue. Tandis que certains de ses amis lui conseillaient de fuir en Angleterre, les Parisiens louaient leurs places pour le voir passer captif et garrotté.

En novembre, la bataille d'Arques et un audacieux coup de main contre la capitale changèrent la face des choses en faveur du Bourbon. Nul, cependant, n'imaginait que cet excommunié pût remporter la victoire. Aussi le singulier retour de fortune dont il bénéficiait sembla devoir perpétuer, accroître encore la misère publique. Ne présageait-il pas une guerre fratricide prolongée jusqu'au moment où les Français désespérés se donneraient les uns à l'Espagne, les autres à l'Angleterre et consommeraient la ruine définitive de leur nation?

II. — La France de 1610

Au printemps 1610 la France dominait l'Occident. Depuis bien des générations elle n'avait connu tant de sérénité, d'opulence, de grandeur, une telle abondance, un tel repos. Elle vivait une de ces périodes si rares, si brèves où, sans divisions internes, sans drame financier, unie sous un grand homme, elle provoque l'admiration et l'espérance du monde. Nul n'aurait osé lui disputer le rôle d'arbitre de la Chrétienté. Seule, elle avait à sa tête un capitaine illustre, roi par la grâce de Dieu, mais aussi par celle de son épée. Seule, elle était parvenue à ramener une concorde au moins apparente entre les frères ennemis, à imposer aux catholiques et aux protestants cette tolérance qui leur avait inspiré tant d'horreur. Une inscription apposée en la cathédrale Sainte-Croix d'Orléans proclamait « les restes des guerres civiles ensevelis, les partis éteints, la paix régnant à travers tout le royaume ».

« L'Europe sentait une chose, c'est qu'il n'y avait qu'un roi, le roi de France. » Toutes les petites nations, tous les peuples opprimés mettaient leur espérance dans ce nouveau Charlemagne. Les Suisses le comparaient doctement à David. Les princes allemands le regardaient comme l'arche de leur salut. Les Hollandais auraient voulu se donner à lui. L'apparition d'un de ses envoyés ameutait les foules.

On criait :

« L'avez-vous vu? »

Un Italien écrivait en des vers dont la médiocrité n'altérait pas l'enthousiasme :

Allons revoir la France, allons voir la nourrice
Des lettres, des vertus, des honneurs, des amours [1].

Shakespeare saluait « la fertile France, le plus beau jardin du monde [2] ».

De la Baltique aux Alpes combien de gens soupiraient : « Que ne sommes-nous Français! »

Fidèles à eux-mêmes, ces heureux Français ne vouaient à leur sauveur des sentiments ni très admiratifs, ni même très bienveillants. Mais, ô miracle ! ils acceptaient son autorité et ne s'opposaient guère — sinon en paroles — à ce qu'il faisait pour eux.

Un tel prodige avait métamorphosé le royaume en moins de dix ans. Voici le témoignage de Barclay, auteur de l'*Argenis* et de l'*Icon Animorum.* « La France, écrit-il, est le pays le plus prospère. La richesse du sol rivalise avec l'heureux génie des habitants. Pas un coin de cette riche contrée qui ne soit cultivé ou, du moins, qui ne rapporte.... Il n'y a pas de peuple qui entende mieux l'élégance de la vie. Tout, jusqu'à leur costume, est plein d'une grâce que les autres nations ne peuvent imiter.... Le métier de marchand est moins considéré qu'en tout autre pays du monde. Par contre, il n'en est pas où la recherche des places excite de telles ambitions. Ils épuisent eux et leurs familles pour s'élever les uns au-dessus des autres.... En général leur jeunesse est folle, amoureuse du jeu, impatiente du repos, prompte au désordre avec une ostentation de vice qu'accompagnent la raillerie vaine, la satire et l'épigramme qui n'épargne personne. D'autres se font vite une sagesse d'emprunt : parole lente, visage impassible, ils appellent cela de la froideur, mais ce personnage ne leur sied guère. Leur légèreté native s'échappe toujours par quelque endroit. Il n'en manque pas, cependant, qui gardent le milieu entre ces

1. Trellon : *Le Cavalier parfait.*
2. *Henri V*, act. V, sc. II.

deux extrêmes. Ils sont alors charmants avec un égal mélange de sagesse et d'aimable gaieté.... Les Français aiment leur pays : ils ne peuvent le quitter que dans l'urgente nécessité de faire fortune ailleurs. »

Paris justifiait enfin l'éloge de Montaigne exaltant « cette grande cité, grande en peuples, grande en félicité de son assiette, mais surtout grande et incomparable en variété et diversité de commodités, la gloire de la France et l'un des plus beaux ornements du monde ». Tel était l'avis des provinciaux et des étrangers qui se précipitaient vers cette métropole où s'entassaient déjà cinq cent mille personnes. « Avoir vu les villes d'Italie, d'Allemagne et des autres royaumes, ce n'est rien, disait-on couramment. Ce qui frappe c'est quand un homme peut se vanter d'avoir été à Paris. »

Un Paris encore noir de la crasse du Moyen Age, protégé de murailles, de tours sur lesquelles bien des hommes se souvenaient d'avoir combattu, un Paris aux ruelles sombres et tortueuses, aux ponts fragiles et surchargés, plein de couvents, d'églises, de nobles hôtels, de masures, de coupe-gorges, un Paris constamment inondé dont la boue nauséabonde laissait des marques ineffaçables.

Laquais, écoliers, mauvais garçons y rivalisaient de malfaisance : se promener après le coucher du soleil sans lanterne et sans escorte était une aventure redoutable, parfois mortelle. Une dizaine de carrosses seulement, en comptant ceux du Roi et de la Reine, ajoutaient aux embarras de la circulation.

Mais un grand souffle de bonheur et d'espoir passait sur la capitale enfin libérée d'une angoisse qui avait duré trente-cinq ans. On osait songer à la beauté, à l'ornement des maisons plutôt qu'aux moyens de les défendre. Le style moderne triomphait et en même temps l'influence italienne. La scie des tailleurs de pierre accompagnait les rumeurs de la cité. On construisait partout. Partout surgissaient des quais, des rues, des palais, des jardins. Le Pont-Neuf, dû à une idée de

Henri III, formait depuis 1603 une sorte de microcosme où se rencontraient tous les éléments d'un peuple haut en couleur et bouillonnant. Dans son prolongement, la place Dauphine, rouge, blanche et non moins neuve, contrastait violemment avec les constructions lépreuses d'alentour. Le Marais, l'île Saint-Louis étaient couverts de chantiers. La place Royale faisait admirer sa grâce un peu sévère.

Les Parisiens prenaient avidement leur revanche des années tragiques. Le plaisir régnait et la licence. Jamais il n'y eut tant de beuveries, de mascarades, de fêtes. Les anciennes générations frémissaient devant le relâchement des mœurs.

Sortir de la ville n'était plus un danger, mais un agrément. Rien ne troublait la paix des jardins potagers et des prairies qui s'étendaient depuis les Tuileries jusqu'à la colline de Chaillot. Paix miraculeuse, douce aux petites gens, dans laquelle s'endormaient les vieilles forteresses féodales et leurs garnisons, derniers souvenirs des guerres civiles.

Les voyages même n'offraient d'autres dangers que les fleuves débordants, les marécages, les animaux sauvages, les accidents et les voleurs traditionnels.

Le duc de Sully, grand voyer de France, avait refait les anciennes routes, en avait tracé d'autres et obligeait les seigneurs à les entretenir. Les marchandises, la police du Roi y circulaient aisément au bénéfice du commerce et de l'ordre public. Grâce aussi à M. de Sully, les rivières étaient gardées, les poissons protégés, les forêts administrées. On sait quels encouragements recevait de ce ministre une agriculture qui ne fut jamais si florissante.

Quant à l'industrie, elle devait son essor au seul Henri IV, car Sully se montrait fort défiant à son égard. La plantation des mûriers, générateurs de la soie, était une fantaisie royale. Une fantaisie à laquelle le Vert Galant tenait beaucoup. On comptait dix mille mûriers par diocèse. Il y en avait aux Tuileries, à Fontainebleau. Sa Majesté songeait à installer place Royale une immense manufacture de soierie.

Un monde nouveau naissait, le monde ouvrier. La création d'industries nouvelles, l'impulsion donnée à celles de la draperie, des toiles, des tapisseries, des glaces, avaient rendu à la France le rang perdu depuis Henri II.

Combien d'autres travaux, combien d'autres projets attestaient le génie du Roi et la vitalité de la nation : le pont aux Changes, le canal de Briare, la rectification du cours de la Seine, la création de l'artillerie, le Jardin des plantes, la Bibliothèque royale, la Grande Galerie qui reliait le Louvre aux Tuileries, la façade de l'Hôtel de Ville, les nouveaux bâtiments, les nouveaux jardins, le grand canal de Fontainebleau, l'achèvement du Château Neuf de Saint-Germain avec ses terrasses et ses parterres « inclinés jusqu'aux bords de Seine »! Et l'envoi outre-océan de ces colons qui, sur mille lieues de côtes, fondaient une France américaine!

L'ombre à ce riant tableau venait de la fiscalité. Sully n'avait pas entassé à la Bastille un fabuleux trésor (quarante-cinq millions) sans taxer durement les riches et surtout les pauvres. L'ordre rétabli dans les Finances, dont la gestion avait été arrachée aux partisans italiens, n'empêchait pas les traitants de se livrer aux pires trafics et de bâtir de scandaleuses fortunes. L'un d'eux, Sébastien Zamet, grand ami du Roi, s'appelait lui-même « seigneur de dix-huit cent mille écus ».

En 1609, la préparation de sa guerre contre l'Espagne avait conduit Henri IV à créer une série de nouveaux impôts et à déprécier la monnaie. D'où remontrances du Parlement et indignation générale à travers le royaume. Le maréchal d'Ornano, célèbre par sa rudesse, était accouru de Bordeaux pour dire la vérité à son maître :

« Jamais on n'a si mal parlé du feu Roi (Henri III) que de vous. Vous n'êtes pas aimé de votre peuple. Le peuple endure beaucoup et n'en peut plus! »

Henri avait embrassé le maréchal. Il aimait changer de

masque, jouer au débonnaire, puis au despote, dire tantôt « qu'il ne fallait pas pour bien régner qu'un roi fît tout ce qu'il pouvait faire » ; tantôt « qu'un roi n'était responsable qu'à Dieu seul et à sa conscience ».

Il apaisait ainsi l'humeur ombrageuse de ses sujets tout en jetant les bases de cette monarchie autoritaire, de cette « paix royale » que les meilleurs esprits réclamaient après tant d'excès dus au « caprice du rêve ».

Voici arrivée l'heure où triomphera le droit divin. « La France s'idéalise et s'adore dans la royauté [1]. » Elle le fait « avec l'élan pieux et presque mystique par lequel l'esprit humain, échappant à la tourmente, se jette au port qu'il croit avoir trouvé ». Mais c'est avec lucidité que les hommes à tête froide exercent leur choix. « Si nous ne pouvons être libres, à tout le moins nous ne voulons avoir qu'un maître, écrit Hurault. Nous sommes d'avis, par trop d'expériences et de dommages, que le mauvais gouvernement d'un État, quelque dépravé qu'il puisse être, ne peut apporter tant de maux en un siècle qu'une guerre civile en un mois. »

Qu'on n'aille pas croire pour autant à une lassitude résignée! Une extraordinaire jeunesse, une virilité débordante animaient cette France effondrée, moribonde vingt ans plus tôt. La nation marchait vers son apogée avec la fougue, l'audace et parfois la fureur de l'adolescence. « Alors il fut permis d'avoir le cœur haut et de le sentir. Ce fut le siècle des grandes vertus et des grands vices, des grandes actions et des grands crimes [2]. »

Génération étonnante qui connut une telle ascension après une telle misère et, grisée par l'une, conservait encore les stigmates de l'autre !

1. Gabriel Hanotaux : *La France en 1614.*
2. La Fare : *Mémoires.*

PREMIÈRE PARTIE

LE CLIMAT PSYCHOLOGIQUE

I

L'ESPRIT RELIGIEUX

LE MOYEN AGE, la Renaissance avaient cessé d'être, le Grand Siècle n'était pas encore. L'homme placé à ce carrefour, s'il contrastait fortement avec ses aïeux du XVe siècle, se situait beaucoup plus loin de nous que des Français de l'An Mille. Sauf sur un point : celui qui touchait à l'esprit de parti.

Son comportement à l'égard de la religion explique à la fois ce contraste, cette distance et cette unique mais saisissante analogie.

Le chrétien du temps de Henri IV comme le chrétien du temps de saint Louis menait une existence que la religion imprégnait, colorait à chaque instant. Paris était dominé par une forêt de clochers dont la pieuse rumeur ne s'éteignait pas. Les moines occupaient tous les faubourgs. On voyait, se côtoyant, la puissante abbaye fortifiée de Saint-Germain-des-Prés, les carmes réformés de la rue de Vaugirard, les chartreux, maîtres de l'emplacement actuel du Luxembourg, les cordeliers du faubourg Saint-Marcel, les moines de Saint-Victor. A l'intérieur de la ville foisonnaient les augustins, les mathurins, les jacobins, les bernardins, les génovéfains, bien d'autres.

Les églises se touchaient : Saint-André-des-Arts, Saint-

Cosme, Saint-Sulpice, Saint-Jacques-du-Haut-Pas, Saint-Étienne, Sainte-Geneviève, Saint-Benoît, Saint-Jean, Saint-Hilaire, Saint-Séverin, Saint-Nicolas. Cela pour un seul quartier. L'île de la Cité ne contenait pas moins de cinquante édifices religieux.

On ne les construisait pas selon les besoins des fidèles, mais afin d'honorer un saint particulier. Le rôle des saints dans la vie quotidienne était considérable. Nul ne se serait passé d'un ou de plusieurs patrons. C'étaient à eux d'abord qu'on recourait en cas de maladie. On savait très précisément la spécialité de tel bienheureux, de tel lieu de pèlerinage. L'ordinaire de l'existence exigeait l'usage d'un grand nombre de reliques. Toutes les ménagères avaient au fond de leur poche un morceau de pain bénit qui possédait la vertu de « chasser le diable, guérir les maladies du corps, préserver de la rage et détruire les rats ». Les reliques s'utilisaient en potion, en lavement, en poudre. Il s'en faisait un trafic, un commerce immenses qui frisaient le paganisme. Les bonnes gens ne s'en doutaient pas, étant persuadés que Dieu se mêlait de leurs moindres actions.

La Renaissance avait certes dessiné le monde à une échelle bien différente de celle de l'âge précédent, mais l'homme ordinaire continuait de mettre à sa mesure les choses invisibles. Les éléments de l'univers lui apparaissaient plus petits, plus lents, plus simples, plus proches qu'ils ne le sont. On croyait la création récente et vouée à une prompte fin, les distances restreintes, la Providence toujours prête à remplir la charge d'un juge de paix. On admirait les signes de la satisfaction ou de la colère divine, on ne s'en étonnait pas. Une aubépine avait, en refleurissant, consacré la Saint-Barthélemy et lui avait imprimé une fureur nouvelle. Un coup de tonnerre rappelait à l'ordre tel gourmand qui ne respectait pas les prescriptions du carême. Et ce « libertin » de s'écrier :

« Voilà bien du bruit pour un morceau de lard ! »

Les protestants subissaient jusqu'à l'obsession l'influence

des Écritures. Ils se parlaient par versets de la Bible et chantaient continuellement des cantiques. Un psaume avait préludé à leur victoire de Coutras :

> La voici l'heureuse journée
> Qui répond à notre désir....

Aucune réjouissance populaire ne charmait la foule comme les controverses théologiques. Les discussions entre le cardinal du Perron et Duplessis-Mornay attiraient un public considérable. Au moment d'épouser le duc de Bar, Catherine de Bourbon, sœur du Roi, organisait, en guise de fête, une dispute entre docteurs catholiques et ministres protestants. « Les arquebuses sont serrées, disait-on, les in-folio s'étalent. »

Cette passion religieuse n'empêchait pas l'homme de 1589 d'avoir perdu ce qui était la foi de l'homme du Moyen Age. Au Moyen Age la vie spirituelle se confondait avec la vie temporelle. A la fin des guerres civiles, sauf de très rares exceptions, il existait un abîme entre l'une et l'autre.

Le chrétien de cette époque suivait dans sa conduite des principes directement opposés à ceux qu'il prétendait défendre. Il masquait la contradiction en donnant des prétextes pieux à des actes dictés par les intérêts les plus matériels. Sous l'étalage d'une dévotion outrée, d'un respect spectaculaire pour les choses divines, se cachaient un réalisme impitoyable, une indifférence profonde à l'égard des préoccupations de l'esprit.

Henri IV scandalisait en proclamant : « Paris vaut bien une messe. » Mais le scandale venait de son cynisme, de son mépris des formes extérieures qui seules comptaient.

Le Roi cherchait parfois à satisfaire les exigences de ses sujets comme le jour où, voyant passer le Saint Sacrement, il descendit de cheval et se prosterna sans souci de la boue. Hélas ! son tempérament reprenait vite le dessus. Une véritable hypocrisie aurait peut-être détourné le couteau de Ravaillac.

Au temps des Croisades la religion avait pu contraindre les chevaliers à la trêve de Dieu avant de les unir contre l'Infidèle. Au XVIe siècle, catholiques et protestants, voyant les infidèles parmi leurs compatriotes, invoquaient la religion pour assouvir leur ambition, leur cupidité et se livrer aux pires violences.

Les meneurs ne pouvaient se faire illusion à eux-mêmes. Les Guises avaient failli passer à la Réforme (en 1561), Henri IV, suivant l'exemple de son père, s'était converti, cinq, six fois. La masse, en revanche, se serait crue perdue si elle avait découvert la réalité des choses. Elle ne pouvait s'abandonner en paix à ses passions que sous le couvert de la raison divine.

Et voilà où les fanatiques de cette époque rejoignaient curieusement les « militants » du XXe siècle. Comme aujourd'hui le monde était partagé entre deux idéologies intransigeantes, inconciliables dont chacune servait d'instrument et de bannière à une volonté de domination politique.

Montaigne écrivait :

« Nous trouvons étrange si, aux guerres qui pressent à présent notre État, nous voyons flotter les événements et diversifier d'une manière commune et ordinaire. C'est que nous n'y apportons rien que le nôtre. La justice qui est en l'un des partis, elle n'y est que pour ornement et couverture ; elle y est bien alléguée, mais elle n'y est ni reçue, ni logée, ni épousée ; elle y est comme en la bouche de l'avocat, non comme dans le cœur et affection de la partie. Dieu doit son secours extraordinaire à la foi et à la religion, non à nos passions. *Les hommes y sont conducteurs et s'y servent de la religion ;* ce devrait être tout le contraire....

« Quand cela s'est-il vu mieux qu'en France de nos jours ? Ceux qui l'ont prise à gauche, ceux qui l'ont prise à droite, ceux qui en disent le noir, ceux qui en disent le blanc l'emploient si pareillement à leurs violentes et ambitieuses entreprises, s'y conduisent d'un progrès si conforme en débordements et injustice qu'ils rendent douteuse et malaisée à croire la diversité qu'ils prétendent de leurs opinions en chose de laquelle dépend la conduite et loi de notre vie....

« Confessons la vérité : qui tirerait de l'armée même légitime et moyenne ceux qui y marchent par le seul zèle d'une affection religieuse et encore ceux qui regardent seulement la protection des lois de leur pays au service du Prince, il n'en saurait bâtir une compagnie de gendarmes complète [1]. »

Notre esprit de parti peut donc se reconnaître en l'esprit religieux du XVIe siècle. Le croyant d'aujourd'hui sera au contraire déconcerté devant un phénomène dont ligueurs et huguenots ne paraissaient même pas soupçonner l'aspect monstrueux : le divorce complet de la foi et de la morale.

Cette antinomie s'était affirmée pendant la guerre sauvage conduite au nom du Seigneur. Chaque meneur, chaque armée avait multiplié les massacres, les supplices, les tortures, les viols, les incendies, les destructions, les pillages. Le baron des Adrets n'avait pas éprouvé plus de scrupules que Montluc et leurs successeurs marchaient sur leurs traces. La conviction de défendre l'orthodoxie suffisait à justifier le crime. Depuis le prince (Henri IV excepté), depuis le prélat ou le pasteur jusqu'au reître, tous se reconnaissaient la faculté de traduire la volonté céleste et le droit de l'imposer par des moyens affreux.

Les leçons de Machiavel étaient poussées à leurs dernières conséquences quand la raison d'État s'effaçait, au moins en apparence, devant la nécessité supérieure de préserver le dogme. Nul ne pensait que le Roi Catholique excédait ses droits en instaurant la terreur dans les Flandres, en Andalousie, au Portugal, voire en faisant périr son propre fils. Au moment de mourir (1598) Philippe II éprouvait un seul regret, un seul remords : celui de n'avoir pas exterminé assez de juifs, d'hérétiques, d'infidèles. Pour le reste, il se sentait l'âme en paix et ne doutait pas que la Sainte Trinité ne l'accueil-

1. Apologie de Raymond Sebond. Livre II. Chap. X.

lît au ciel comme elle avait accueilli son père Charles Quint. Beaucoup de Français, grands admirateurs de l'Espagne, partageaient sa conviction.

Le poison, le parjure, le propos délibéré de tromper l'adversaire, l'assassinat sous toutes ses formes étaient non seulement légitimes, mais hautement louables s'il s'agissait de servir les desseins de la Providence. Jacques Clément fut sanctifié à Paris après avoir poignardé Henri III, les jésuites gardaient à titre de relique une dent de leur élève Jean Chastel qui manqua de peu Henri IV.

Les jésuites n'ont pas plus que les autres échappé aux excès des haines partisanes. Nombre des forfaits attribués à leur compagnie sont des calomnies parfois absurdes. On ne saurait nier cependant leurs efforts pour ériger en système une méthode très particulière de travailler à la gloire de Dieu. Un système proprement révolutionnaire selon lequel l'assassinat tempérait l'autorité monarchique.

S'il était question de foi — et la foi se mêlait à tout —, les sujets acquéraient le droit de juger spontanément et, le cas échéant, d'exécuter le souverain. En dix-sept ans, il ne parut pas moins de douze ouvrages destinés à défendre cette doctrine explosive. Le célèbre *De Rege et Regis Institutione* du père Mariana exaltait le geste du frère Clément. On y trouvait ce passage : « S'il (le Roi) pervertit la religion du pays ou s'il attire dans le pays les ennemis publics (les protestants), celui qui pour favoriser la nation tâchera de le tuer, je n'estimerai pas qu'il fera injustement. »

Le Saint-Siège condamna l'ouvrage, mais trop tard pour que maint cerveau peu solide n'en eût pas été ébranlé. La meute d'assassins qui ne cessa jamais de traquer Henri IV fut en quelque sorte lâchée par Mariana et ses émules, dont, au demeurant, les huguenots n'étaient pas éloignés d'admettre les principes. Poltrot de Méré, qui tua François de Guise, avait été aussi sûr de gagner le ciel que devait l'être Ravaillac.

Après l'attentat de Jean Chastel, qui blessa le Roi à la bouche, Agrippa d'Aubigné dit à Henri :

« Dieu vous a frappé à la lèvre parce que vous l'avez renié des lèvres. Quand vous le renierez du cœur, il frappera le cœur. »

La maison du Seigneur n'intimidait en aucune façon les dévots criminels. La Reine Margot s'était donnée dans une église au meurtrier de son ennemi Du Guast. La veille de Noël 1608, le duc d'Épernon et la marquise de Verneuil « conclurent » en l'église Saint-Jean-de-Grève à la mort de Henri IV.

Cet oubli de la morale ne se manifestait pas seulement lorsque des intérêts politiques entraient en jeu. La vie privée des champions de la foi n'offrait rien d'édifiant. Les exactions du cardinal de Lorraine restaient célèbres. Force jeunes filles se vantaient à leurs compagnes envieuses d'avoir dû leur initiation au cardinal de Guise. Cent récits scandaleux décrivaient les aventures des nombreuses dames fort exactes à meurtrir leurs pieds en suivant les processions.

Là encore, les jésuites étaient d'un grand secours. Le traité de Sanchez sur le mariage, par exemple, offrait des perspectives aussi troublantes qu'imprévues.

Tout, en somme, pouvait être excusé, absous sauf le scepticisme, la liberté d'opinion, l'indulgence envers les croyances d'autrui. Les mœurs, les institutions, les hommes rejetaient le vice suprême de l'esprit, la tolérance ; la tolérance, cette menace contre une arrogante sécurité qui autorisait tant de désordres.

L'indignation, le mépris attachés depuis si longtemps aux modérés et aux conciliateurs demeuraient intacts. Un homme assez audacieux pour prétendre s'élever au-dessus de la haine courait encore de grands périls. La tolérance comptait des victimes et même des martyrs, Michel de l'Hospital, Henri III, Amyot, le président Duranti. Montaigne avait connu la Bastille. Henri IV s'exposait moins dans les batailles qu'en disant :

« Ceux qui suivent tout droit leur conscience sont de ma religion et moi je suis de celle de tous ceux-là qui sont braves et bons. »

On le lui fit bien voir.

Il était aussi facile d'affoler le peuple en lui montrant l'Église menacée qu'aujourd'hui de déchaîner les masses arabes sous prétexte de guerre sainte.

Ce fanatisme qui menait les catholiques de Rouen à déterrer les protestants tués au cours du siège et à jeter leurs cadavres aux bêtes, ce fanatisme dont la rage primitive nous confond était à chaque instant encouragé, presque sanctionné par le merveilleux. Les contemporains de Montaigne et de Malherbe étaient aussi familiers avec le merveilleux qu'une tribu africaine. L'Au-delà ne cessait de leur envoyer des messages et rien ne leur semblait si normal que le surnaturel. Le *Journal* de L'Estoile, brave bourgeois, modéré d'opinion et très positif en affaires, fourmille d'histoires hallucinantes.

« Pendant le mois de février 1594 il fut grand bruit à Paris d'un esprit qui revenait à Saint-Innocent où le monde allait en procession depuis qu'il était nuit jusqu'à onze heures du soir. On l'oyait se plaindre en forme d'un tonnerre grondant quand le ciel est encore clair devant que le grand orage vienne. Il appelait son père, sa mère, sa tante, disait qu'il fallait tuer les politiques et ne recevoir le Béarnais. »

Une verge rouge se dessinait au ciel, annonciatrice de la colère divine. Un personnage richement vêtu d'un manteau de peluche se jetait à la Seine et l'on ne retrouvait pas son corps. Un homme noir obligeait une servante à égorger l'enfant de ses maîtres. Un autre homme noir, à cheval celui-là, troublait la chasse du Roi auquel il criait : « Amendez-vous! » avant de se dissoudre en fumée. L'apparition d'une comète menaçait directement la vie des Enfants de France. Un débordement inhabituel de la Loire présageait une catastrophe.

En 1606 le pape Paul V rêva que Paris s'abîmait dans les flammes. Il suffit de cette nouvelle pour provoquer chez les habitants de la capitale une véritable panique. L'exode commença aussitôt. A cheval, en chariot, emportant leurs coffres ou leurs hardes, les gens se ruaient hors de la ville comme s'ils sentaient déjà le feu du ciel.

***

Ainsi l'esprit religieux à cette aube du XVIIe siècle se trouvait singulièrement avili. Il justifierait même une sorte d'horreur si déjà ne perçaient les premiers efforts destinés à le régénérer. Des hommes, des femmes dont plusieurs devaient être sanctifiés et d'autres condamnés poussaient les âmes pieuses, non pas à la claustration, à l'extase, mais à « affronter le monde » selon des méthodes où les vertus cardinales reprendraient leur droit.

Marguerite de Valois, première femme de Henri IV, avait été longtemps une sorte d'emblème du scandale et continuait à défrayer la chronique, quoiqu'elle affectât la sagesse. Revenant à Paris après vingt ans d'exil, elle choisit pour aumônier M. Vincent de Paul.

Ce jeune prêtre fort simple ne songeait ni aux combats, ni à la poésie comme ses prédécesseurs, il était obsédé par l'effroyable condition des pauvres gens, par la misère éparse jusqu'aux abords du Louvre. Sitôt sa charge remplie chez la Reine, il courait les hospices, les cloaques de la ville. Il voyait aussi beaucoup de grandes dames qu'il exhortait à secourir les pauvres et de leur bourse et de leurs mains parfumées. Au lieu des sermons incendiaires, recommander la visite des malades en guenilles, cela certes était nouveau.

Chemins imprévus de la Providence!

Ce fut la Reine Margot qui introduisit M. Vincent chez le Roi! Henri le vit, le reçut, le garda une heure et demie. Si nous ne savons rien de leur entretien, il est aisé d'imaginer quelle tournure prit le dialogue entre le monarque soucieux d'« humaniser » les Français et l'apôtre des « peuplades sauvages » dont, disait-il, le royaume était encore empli.

Henri IV aimait les saints pacifiques. Il demanda au duc de Savoie de lui « donner » François de Sales, et s'affligea fort d'essuyer un refus. François de Sales accomplissait en France de fréquents voyages. Il prêchait la douceur, la concorde. Il dirigeait les consciences de la jeune Angélique Arnaud, abbesse de Port-Royal, et de la baronne Jeanne de Chantal. Avec Mme de Chantal il songeait à réformer l'éducation des jeunes filles qui, au couvent — lorsqu'elles étaient bonnes élèves — apprenaient seulement à mépriser la vie. Il fallait au rebours leur faire concilier le siècle et la religion, les instruire aussi, car la terrible ignorance généralement cultivée jusque-là avait été la source des pires excès.

En 1610 Mme de Chantal fonda la Congrégation de la Visitation de Marie qui compta bientôt 87 couvents, 6 500 religieuses.

Quant à François de Sales, il ravit Henri IV en publiant l'*Introduction à la Vie dévote.* Le Roi, inquiet de sentir les âmes flotter entre l'irréligion et le scrupule, pensa qu'un tel livre les « éloignerait de ces extrémités ».

Angélique Arnaud, l'autre pénitente qu'aimait le futur saint, était, elle, entièrement tournée vers l'austérité. Abbesse à quatorze ans, elle s'indignait du comportement des malheureuses filles obligées de prendre le voile pour arrondir la part d'héritage d'un frère ou d'une sœur aînés. Ces religieuses sans vocation soignaient leur toilette, jouaient, organisaient des concerts, offraient des collations, ouvraient les couvents à des compagnies oisives et caquetantes.

A dix-sept ans, la mère Angélique décida de changer tout cela. Elle appliqua rigoureusement la règle de son ordre, imposa la plus sévère des clôtures, ferma la porte de Port-Royal au nez de son propre père. Ce fut la fameuse « journée du guichet » dont le retentissement devait être infini.

La mère Angélique ne soupçonnait pas alors le jansénisme. Ni Jansenius lui-même, qui ne connaîtrait jamais ce mot. Mais le docteur flamand se plongeait déjà dans l'étude de saint Augustin au côté de son ami, M. de Saint-Cyran. L'un et l'autre rêvaient durant des heures aux manières de purifier l'Église et les âmes. Puis, recrus de travail, ils se permettaient leur délassement favori et jouaient longuement à la raquette en la grande salle du château de Hauranne.

Encore ignorant de leur âpre idéal, Bérulle, qui, dès l'âge de sept ans, avait fait vœu de chasteté, voulait, lui aussi, servir le Seigneur, mais à sa façon, « en indépendant ». Cet ami des jésuites profita de leur exil après l'affaire Jean Chastel pour leur créer des rivaux. Saint Philippe de Néri avait fondé la Société de l'Oratoire. Bérulle s'en servit pour former des prêtres moins soumis à Rome qu'aux évêques, des prêtres qui ne se prépareraient plus au sacerdoce en partageant les occupations, voire les luttes et les passions des laïques.

A ce moment aussi pénétraient en France les livres brûlants d'une Espagnole, « la mère Thérèse ». La duchesse de Longueville les lut, fut conquise, parla d'attirer des carmesses ou carmélites déchaussées dont cette dame avait fondé l'ordre. Bérulle, là-dessus, eut une vision qui le décida à se rendre en Espagne en compagnie d'un avocat du Roi, M. Gauthier. Il ramena cinq carmélites espagnoles, les installa au prieuré de Notre-Dame-des-Champs.

Les Parisiens regardèrent d'abord avec curiosité, puis avec admiration les étranges filles chaussées de corde qui parlaient seulement deux heures par jour. Bientôt les carmélites « essaimèrent » à Pontoise, à Bordeaux, à Bourges, à Saintes. Leur exemple excita une ferveur qui jeta les pécheresses en foule vers les monastères. D'autres dames plus attachées au monde prirent l'habitude de faire des retraites régulières en quelque couvent.

Mme Acarie habitait rue aux Juifs. C'était une mère de six enfants dont le mari, exilé comme ligueur, avait laissé une fortune fort compromise. Mme Acarie montrait dans cette conjoncture difficile beaucoup de sens pratique. Parfois, fuyant ses soucis, elle tombait en extase. Un capucin célèbre, le père Benoit de Canfield, la visita et conclut que « Dieu était là ». Il décida qu'elle mènerait deux vies, l'une sur terre, l'autre « ailleurs » : là elle serait « agie ».

Mme Acarie eut une vaste clientèle d'âmes. Ses trois filles devinrent carmélites. Le Roi lui envoyait parfois pour ses aumônes de l'argent gagné au jeu.

Les exemples édifiants se multipliaient. Le « courtisan prédestiné », Henri de Joyeuse, ancien mignon de Henri III, qui se nommait le comte du Bouchage au Louvre et le père Ange chez les capucins, n'était pas universellement loué d'avoir passé plusieurs fois de l'état mondain et militaire à l'état monastique. Mais d'autres gentilshommes ou fils de grandes familles parlementaires servaient Dieu avec un zèle plus constant. Tels M. de Beauvilliers, réformateur des bénédictins de Montmartre, le père Joseph (du Tremblay) qui accomplit la même œuvre à Fontevrault, le père Honoré (Bochart de Champigny), Archange de Pembrock, directeur de Port-Royal, César de Bus, apôtre des ignorants, fondateur de la première communauté des frères de la Doctrine Chrétienne.

La spiritualité préparait donc son renouveau. Mais nombre de pauvres gens et même de petits gentilshommes, affamés, rançonnés, ruinés, foulés, martyrisés durant quatre décades, ne recouvraient que lentement une ancienne confiance dans la vie. Ces victimes, désabusées de Dieu, cherchaient encore une revanche ou un secours auprès du Prince des Ténèbres.

II

LE DIABLE

IL N'Y EUT PAS une époque où le diable se trouva plus présent à l'esprit des Français, mieux reconnu, plus admis, plus craint, plus sollicité, plus mêlé en quelque sorte à la vie quotidienne. Au temps de Montaigne, durant la jeunesse de Descartes, quel était donc exactement ce diable pour ceux qui le pourchassaient, l'adoraient, le percevaient, pour ceux qui simplement tremblaient devant lui?

Chose remarquable, il n'avait pas un long passé, au moins sous la forme dont le public s'accordait à le revêtir. Avant le XIVe siècle on s'était assez peu soucié de le définir et de préciser son action. Les bulles, les traités de théologie faisant autorité en la matière dataient seulement de la fin du XVe. Beaucoup d'autres avaient suivi au cours du XVIe. Plusieurs ouvrages essentiels parurent pendant le règne même de Henri IV.

S'inspirant des enseignements du pape Jean XXII, de la bulle *Summis Desiderantes* promulguée en 1484 et surtout du livre fondamental de l'inquisiteur Sprenger, le *Malleus Maleficarum* publié en 1489, les docteurs apportèrent alors les dernières pierres à l'édifice de la doctrine classique.

Le dénombrement rigoureux prouvant l'extraordinaire multiplicité démoniaque datait de 1568. Jean Wier signalait cette année-là l'existence de 72 Princes et de 7 405 926 diables divisés en 111 légions, chacune de 6 666 suppôts!

Pour s'y reconnaître il convenait de les diviser en six « genres » : d'abord, « ceux qu'on appelle ignés pour ce qu'ils errent autour de la suprême région de l'air et n'ont aucun commerce en terre avec les sorciers pour ce qu'ils ne descendent point de là » ; puis les « aériens » qui peuvent « paraître aucune fois aux hommes... excitent les tempêtes et tonnerres et tous ensemble battent en ruine le pauvre genre humain » ; les « terrestres », hôtes des bois et des forêts, « assurément précipités du Ciel en Terre pour leurs démérites » ; les « aquatiques » funestes aux navires, incarnés d'ordinaire en un corps féminin, « de là les naïades, néréides et nymphes des eaux ont-elles été nommées des Anciens au sexe féminin » ; les « souterrains » gardiens des trésors enfouis, « toujours prêts à procurer les ruines du genre humain, soit par ouverture ou par abîmes, par vomissements de flammes ou par croulements d'édifices » ; enfin les « lucifuges » ou « fuyants-lumière » qui « ne peuvent prendre ou se former des corps autrement que de nuit [1] ».

Comment agissait cette *légion*, selon le terme consacré, quels étaient ses goûts, ses habitudes, ses exigences, les spécialistes étaient parvenus à le déterminer avec une précision confondante en partant du principe qu'en toutes choses Satan est l'antithèse de Dieu.

Vers 1600, seuls quelques « libertins » osaient douter de leur science et prenaient soin de découvrir le moins possible ce dangereux scepticisme. Non seulement la masse, mais l'élite, dont l'immense majorité des intellectuels, étaient persuadés que les hommes rencontraient à chaque pas un piège du Malin.

Les bons chrétiens s'inquiétaient sans cesse du déguisement sous lequel l'Enfer allait venir les tourmenter. Crespet, prieur des Célestins, expliqua en 1590 que ses suppôts « prennent

1. Cf. Jean Wier, Del Rio, Pselle, Trithème.

plutôt un corps d'air en l'épaississant et formant des vapeurs qui montent de la terre et le meuvent à leur plaisir ».

Il leur fallait l'aide de la pleine lune et d'un vent propice. Ces conditions réunies, rien ne les empêchait de varier leur enveloppe à l'infini, étant donné « la facilité de la substance de l'air à se dilater et à s'épaissir ». En dépit de quoi leur véritable nature se révélait assez vite.

On savait aussi avec certitude qu'à des époques récentes, le diable avait pris la forme « d'une personne comblée de grâces et perfections » ; d'un gentilhomme vêtu de noir ; d'un cavalier sonnant du cor ; d'un berger ; d'un prêtre ; d'un chien, d'un chat noir, d'un taureau, d'un dragon, d'un hibou, d'un renard, d'un loup, d'un corbeau, d'un singe, d'un crapaud, d'une mouche, d'un serpent (c'était une vieille habitude).

M. Le Loyer, conseiller du Roi au présidial d'Angers, constatait gravement en 1605 : « Vraiment il y a raison de comparer le diable et ses anges à Prothée, dieu des Égyptiens, ou au caméléon pour leur inconstance et instabilité de forme. »

Cependant l'imagination populaire ne se contentait pas absolument de cela. Elle avait besoin qu'on lui fournît un signalement plus particulier de l'ennemi contre lequel la bataille ne cessait jamais. Del Rio s'était efforcé de lui donner satisfaction :

« Les démons se manifestent ou bien en corps humain noir, crasseux, puant et formidable, ou bien du moins en visage obscur, brun et barbouillé, le nez déformément camus ou bien énormément aquilin, la bouche ouverte et profondément fendue, les yeux enfoncés et fort étincelants, les mains et les pieds crochus comme des vautours, les bras et les cuisses maigres et remplis de poils, les jambes d'ânes ou de chèvres, les pieds de corne, quelquefois fendus et quelquefois solides, enfin la stature et proportion du corps toujours trop grande ou trop petite ou contrefaite. »

Le même Del Rio attirait l'attention sur l'impuissance du

diable à communiquer chaleur et douceur au corps qu'il occupait. « Un soldat pensant jouir des embrassements désirés d'une jeune fille excellemment belle aperçut enfin qu'il n'étreignait qu'une charogne de bête infecte et toute pourrie. »

Lorsque, au lieu d'exercer une persécution, Satan voulait se faire adorer, il préférait nettement s'incarner en une bête. La tradition païenne comme les Écritures prouvaient que le bouc luxurieux était alors son vase d'élection.

Ainsi qu'on le verra, M. de Lancre, conseiller au parlement de Bordeaux, devait vers 1610 apporter à ce sujet des précisions définitives.

Une distinction à laquelle les théologiens attachaient une haute importance existait entre l'incube, démon mâle, et le succube, démon femelle. C'est ceux-là qui envahissaient, qui *possédaient* des êtres dont les exorcismes seuls parvenaient à les expulser. Le début du XVIIe siècle fut à cet égard un âge diabolique. Les cas de possession s'y multiplièrent. Et, si le diable visitait des corps innombrables, il occupait les esprits d'une manière plus encombrante encore.

A quoi faut-il attribuer chez les sujets du Vert Galant un souci à ce point constant et généralisé?

Sur l'existence même du prince de l'enfer, il n'était pas question d'éprouver un doute à moins de tomber dans l'hérésie et dans ses incalculables conséquences. Catholiques et protestants n'avaient point de divergence là-dessus. L'Ancien comme le Nouveau Testament dénonçaient l'ennemi du genre humain devenu le seul agent maléfique réel, alors que l'Antiquité païenne voyait le Mal diffus en plusieurs divinités.

De nombreux théologiens du XVIe siècle rangeaient, d'ailleurs, l'ensemble des habitants de l'Olympe parmi les troupes de Satan. A leurs yeux, Jupiter, Apollon, Minerve, Vénus n'étaient nullement des mythes, mais de simples démons qui jadis avaient usurpé la qualité de dieu.

Ils contribuaient ainsi à entretenir chez le peuple des campagnes le souvenir des superstitions païennes, souvenir parfois singulièrement vivace, où se retrouve une autre cause de la puissance du Malin.

Parmi les manifestations du culte que leur vouaient ses fidèles on relève aisément les traces de pratiques millénaires. Le Sabbat n'aurait pas été ce qu'il fut — au moins pour la crédulité populaire — sans les mystères d'Éleusis et d'Apollon, les bacchanales et les priapées. Les éminences escarpées que tant de récits et de procès assignaient comme théâtres à ces assemblées maudites représentaient les hauts lieux jadis consacrés aux idoles. Les sorcières se réunissaient autour des dolmens, des cromlechs qui furent les témoins des cérémonies druidiques.

Belzébuth tenait ses cornes et ses pieds fourchus du dieu Pan. Jean Bodin, farouche contradicteur de Jean Wier — non pas sur le recensement, mais sur la compétence des médecins en matière de possession —, Jean Bodin regardait les incubes comme des faunes, des sylvains, des satyres réincarnés.

Une tradition qui remontait du fond des âges rejoignait ainsi dans les cervelles incultes les terreurs et les émerveillements inspirés par l'univers fantastique auquel l'homme pieux était tenu de croire.

Cet univers, on le côtoyait à chaque instant et comment ne pas en éprouver le vertige? Comment ne pas en être obsédé? D'autant que, tous les jours, on y voyait sombrer quelque monstre ou quelque victime.

La chasse aux sorciers, les procès de sorcellerie entourés d'un terrifiant appareil se déroulaient d'un bout à l'autre de la France. Les aveux, publiés avec fracas, troublaient les imaginations les moins vulnérables. Que dire de celles des êtres sensibles, des émotifs, des anxieux?

L'acharnement des inquisiteurs à mettre Satan en déroute lui offrait mille occasions nouvelles d'exercer son pouvoir. Car la névrose, l'hystérie, les troubles mentaux, le délire, les crises nerveuses, la moindre manifestation psycho-pathologique portaient sa griffe, attiraient les inquisiteurs, provoquaient une « affaire » dont le retentissement engendrerait d'autres calamités. Tel était le vrai cycle infernal.

Les femmes en souffraient bien plus que les hommes. Au fond des campagnes et à la Cour de France. Telle paysanne, tombée du haut mal, « frétillait » à terre sous l'œil implacable d'un juge : c'est qu'assurément un démon la taraudait.

La dangereuse favorite de la Reine, Léonora Galigaï, était atteinte d'hystérie. Elle avait des convulsions, des maux de tête, une boule invisible l'étouffait. Elle ne doutait pas et nul ne doutait autour d'elle qu'elle ne fût le jouet d'un incube.

La malheureuse cachait son visage derrière un voile noir afin de conjurer le mauvais sort. Selon les conseils des experts, elle se nourrissait uniquement de rognons de béliers et de crêtes de coq cuits à l'eau bénite. Un prêtre avait la charge de brûler les restes, de peur qu'un chien ne mangeât cette viande quasi consacrée. Et tout cela devait servir un jour à faire condamner pour sorcellerie une femme torturée sa vie durant par la crainte du diable!

Mais il existait aussi des raisons d'ordre plus général à ces étranges victoires de l'ange déchu. Pendant plus de quarante ans on avait vu le Mal triompher dans un effarant cortège de catastrophes, de crimes et d'horreurs. Dieu semblait lui avoir donné permission de régner en France à sa fantaisie. Beaucoup de simples le pensaient lorsqu'ils succombaient au désespoir. Ils n'éprouvèrent plus aucun doute en écoutant les sermons enflammés où l'ultime héritier des rois était identifié à l'Antéchrist.

Longtemps l'Église usa et abusa de cette arme contre le Béarnais auquel les prédicateurs donnaient les noms réservés à la Bête de l'Apocalypse. Une preuve de son essence maudite était, selon la vigoureuse parole de M. Rose, évêque de Senlis, qu'il eût « fait Dieu cocu » en prenant deux religieuses pour maîtresses!

Bien des années après la métamorphose de l'excommunié en Roi Très Chrétien, les consciences persistèrent à être troublées par ces propos qui reprirent à la fin du règne quand furent commencés les préparatifs de la guerre espagnole. On sait quelle influence ils exercèrent sur Ravaillac.

Il est instructif de remarquer à cette occasion que l'illuminé d'Angoulême, ayant demandé à plusieurs clercs « s'il faut considérer comme une péché la tentation de tuer un roi », eut beau leur décrire ses hallucinations et la troublante visite que lui fit un chien noir, on se garda de le soumettre aux exorciseurs. Le démon pouvait utilement servir un dessein politique.

Ainsi raisonnait le maréchal de Biron en appelant les puissances infernales à soutenir son complot. Ainsi raisonnaient les envoûteurs qui, inlassablement, enfonçaient leurs aiguilles dans des poupées de cire modelées « à l'image d'une personne couronnée ».

Le diable n'inspirait pas seulement la terreur. A force de le sentir rôder partout, d'écouter ses exploits, la tentation venait de recourir à lui. Les Grands le faisaient dans les souterrains de leurs châteaux où ils convoquaient mystérieusement des magiciens, des alchimistes, des fabricants de philtres. Les gens du peuple, les paysans surtout, tenaient des réunions nocturnes.

On a vu là des manifestations d'un type proprement révolutionnaire. Les assemblées où se célébrait le culte de Lucifer auraient préfiguré les défilés, « les meetings » grâce auxquels peut s'exhaler aujourd'hui la colère des masses. On sait avec quel romantisme Michelet a expliqué, décrit cette insurrection mystique des serfs contre un ordre fondé sur la raison divine.

Selon lui, le Sabbat du XVIIe siècle prolongeait la coutume médiévale. L'esprit révolutionnaire, faute d'un moyen d'expression plus direct, continuait de s'y manifester par le sacrilège. En bafouant les rites de la religion, on insultait le Dieu qui permettait une si atroce misère.

Cette thèse a été vivement combattue. Elle ne nous semble pas aussi gratuite que d'aucuns le soutiennent. Donner son adhésion à une hérésie et surtout la donner collectivement est *ipso facto* un acte révolutionnaire. La recrudescence du diabolisme à la fin du XVIe siècle correspond bien comme au Moyen Age à un paroxysme de malheur.

Cependant plusieurs faits curieux brouillent cette image des pauvres dénonçant en commun la grande injustice du monde. On voit, en effet, beaucoup de personnes riches et même des nobles soupçonnés à l'égal des misérables. Les dépositions montrent des femmes de qualité se rendant au Sabbat, panache en tête.

« Les sorcières fortunées, écrit Delcambre, portent des courroies ou ceinture d'argent qui les mettent en marge des femmes ordinaires. » Les femmes bien nées se signalent en arborant des coiffes de toile fine.

Si révolution il y a, c'est d'une révolution bourgeoise qu'il s'agit. En effet, la hiérarchie féodale disparaît, mais au profit d'une distinction marquée entre riches et pauvres. Michelet, du coup, se sent quelque peu dérouté. Il déplore l'élégance des réunions maudites. N'y a-t-on pas remarqué un crapaud portant un habit de velours vert?

***

Nous examinerons plus loin ce qu'il faut croire de ces étrangetés. Afin de comprendre la psychologie de l'époque observons d'abord la foi dont elles étaient l'objet. Montaigne mort, Henri IV demeurait peut-être le seul à se permettre d'en rire. Le 27 février 1597, il organisa une mascarade de sorciers.

Son confesseur, le célèbre père Cotton, grand casuiste, grand exorciseur, avait été choisi entre les jésuites de France pour l'étendue d'un savoir universel, la souplesse d'un esprit « aimable ».

Le père Cotton, appelé à exorciser une paysanne picarde, croyait qu'après avoir délivré la malheureuse de son démon, il pourrait contraindre ce démon à des aveux complets. Nous possédons l'extraordinaire interrogatoire qu'il entendait lui faire subir. L'éminent jésuite était persuadé de tenir le moyen de tout apprendre : comment les anges s'étaient mêlés aux filles des hommes et comment l'Angleterre serait ramenée à la foi catholique ; comment buvaient les passagers de l'Arche de Noé et quelles intrigues secrètes se tramaient au Louvre.

Les conseillers au Parlement issus de la classe la plus cultivée de la nation, solidement nourris d'études classiques, n'hésitaient jamais à réprimer sauvagement des actes de sorcellerie. Leur préoccupation essentielle était de damer le pion aux tribunaux ecclésiastiques. On sait la facilité avec laquelle des bourgeois positifs comme L'Estoile entérinaient d'extravagantes histoires. Les apothicaires, les chirurgiens, les médecins, l'illustre Ambroise Paré en personne admettaient l'existence de maladies magiques. Le curé de Reillon avait recours aux bons offices d'une sorcière. Le cardinal Charles de Lorraine attribuait sa goutte à un maléfice.

Une pareille crédulité entraînait des conséquences graves. Elle suscitait ce qu'on pourrait nommer des démoniaques passifs et des démoniaques actifs.

Les premiers, sous le poids de l'obsession, succombaient aux fantasmes, tombaient dans les pires désordres nerveux. C'était le cas des possédés, des malades qu'un juge un peu retors transformait aisément en criminels. Il serait toutefois injuste de ne pas mentionner l'effort des théologiens pour éviter les erreurs.

Le docte Sammarinus dressa la liste des indices qui permettaient de reconnaître les proies de Satan. Il n'y en avait pas moins de dix-sept, notamment : « le visage effarouché, les yeux épouvantables et la contenance hideuse » ; l'incapacité de manger du chevreau ; l'emploi des langues grecque et latine sans que le suspect les eût jamais apprises : le fait d'être « tourmenté de tranchées extrêmes, aux entrailles et parties intérieures » ; de sentir « comme des vers, des fourmis, des grenouilles courir dès la tête par tout le reste du corps jusqu'aux orteils des pieds » ; « d'élever quelque vessie en sa langue laquelle disparaît incontinent (et, s'il s'en élève plusieurs semblables à de petits grains, le signe est encore plus grand pour ce que de là on remarque même le nombre de démons qui sont logés dedans le corps) » ; de ne pouvoir sentir l'odeur des roses ; de dire « des choses du tout secrètes et même au mépris de Dieu et avec injures de ses voisins » ; au moment des exorcismes, de fléchir et renverser le corps et les membres « d'autre façon que l'on ne pourrait attendre, ni espérer d'une créature ».

Les médecins s'étaient mis de la partie et avaient dégagé à leur tour dix-sept preuves certaines de la possession. La plupart d'entre elles masquaient simplement les lacunes de la science d'Esculape. On reste sans voix en découvrant qu'un infortuné pouvait être convaincu d'appartenir au diable : « si la maladie est telle que les médecins ne la peuvent découvrir, ni connaître » ; « si elle augmente plutôt que de diminuer sur ce qu'on y aura apporté tous les remèdes possibles » ; « s'il (le patient) est affligé de plusieurs sortes de fièvres qui empêchent et travaillent les médecins » ; « s'il est rendu impuissant au métier de Vénus ».

Ce dernier symptôme était péremptoire. Aucun maléfice ne plaisait mieux au démon, et les magiciens en usaient constamment. On savait même une de leurs recettes, contenue en un grimoire dit du Petit Albert. Il suffisait de prendre le sexe d'un loup fraîchement tué et, « étant près de celui qu'on veut lier, l'appeler par son nom ». Dès que l'imprudent avait répondu, on liait « ladite verge avec un lacet de fil blanc et le maléficié sera aussi impuissant à l'acte de Vénus que s'il était châtré ».

Mais il existait bien d'autres méthodes. En certaines régions, les gens n'osaient se marier en plein jour par crainte des charmes que les sorciers jetaient sur les époux.

Placée devant une situation délicate, la Faculté se retranchait prudemment derrière le diable. Ainsi firent les médecins venus examiner la malheureuse Gabrielle d'Estrées, tordue, défigurée par les convulsions de son atroce agonie.

Cette mort contribua du moins à sauver la femme Marthe Brossier dont L'Estoile a narré la triste aventure :

« Le mardi 30 de mars 1599, notre évêque, sollicité par différentes personnes d'examiner la nommée Marthe Brossier, arrivée depuis quelques jours à Paris, laquelle on dit être possédée de trois démons, a fait assembler dans l'abbaye de Sainte-Geneviève plusieurs docteurs, tant en théologie qu'en médecine, en présence desquels ladite Marthe a fait des sauts, des contorsions, des convulsions, des tons de voix extraordinaires. Mais, ayant été interrogée par le docteur de Marius en grec, et par le docteur Mareschot en latin, elle a répondu ne pouvoir répondre, n'étant pas en lieu propre pour cela. A cette réponse, Mareschot et plusieurs autres ont dit qu'elle n'était point démoniaque. Le lendemain, le 31 mars, elle fut amenée dans une chapelle de l'église Sainte-Geneviève, où après des convulsions pareilles à celles des jours précédents, les docteurs en médecine Ellain et Duret lui enfoncèrent une aiguille entre le pouce et l'index de la main droite : ce qu'elle souffrit sans donner aucune marque de douleur....

« Le jeudi 1er jour d'avril, une foule de gens s'est rendue à Sainte-Geneviève, sur le bruit qu'on devait examiner si Marthe Brossier était possédée ou non.... Le père Séraphin, capucin, a commencé l'exorcisme ; et prononçant ces paroles : *Et Homo factus est*, Marthe a tiré sa langue, a fait des contorsions extraordinaires, et s'est traînée d'une manière surprenante depuis l'autel jusqu'à la porte de la chapelle avec une célérité si surprenante qu'elle a étonné tous les assistants.... Les docteurs... qui ont vu cela, ont assuré que tout ce que Marthe faisait était naturel ; « que cependant [...] il serait bon [...] de l'examiner pendant trois mois [...]. »

Le 3 avril, Marthe ayant sauté à quatre pieds au-dessus des hommes qui la tenaient fut déclarée possédée. Or, le 5, Gabrielle mourut. Le Roi, convaincu que la superstition était en partie responsable du drame, interdit de poursuivre les exorcismes commencés, fit remettre Marthe entre les mains du lieutenant criminel. Deux prédicateurs élevèrent en vain des protestations furieuses. Le 23 juin le Parlement décréta de ramener la Brossier chez son père « avec défense de la laisser sortir dudit lieu ».

Ce fut une des occasions très rares où le monarque cinq fois converti arracha une proie aux fanatiques.

Le cas des démoniaques actifs était fort différent. Ceux-là cherchaient délibérément le diable, sacrifiaient leur âme pour assouvir leurs ambitions terrestres. Ainsi, Louise de Budos, jeune fille agréable, de bonne maison, mais point illustre, qui visait les cimes. Elle conclut, dit-on, un pacte avec Belzébuth afin d'épouser un très grand seigneur et d'en avoir les plus beaux enfants du monde. Contre la vraisemblance, elle devint, en effet, la femme du connétable de Montmorency. Son fils émerveilla. Sa fille fut la fameuse Charlotte de Montmorency qui devait déchaîner la dernière passion du Vert Galant et tourner la tête à toute une génération.

Or, un soir que la connétable tenait sa cour, on lui annonça la visite d'un homme vêtu de noir. Ce personnage demandait à la voir sur-le-champ. Il ne voulait pas entrer. Louise fondit en larmes, fit ses adieux à la compagnie. On la trouva morte en son antichambre. De l'homme noir point de trace.

Tel fut le récit qui courut sur cette fin, peut-être due prosaïquement à un excès d'émotion.

Ces pactes diaboliques n'étaient nullement imaginaires, du moins en ce qui concernait la personne désireuse d'en conclure un. Nous possédons les textes de plusieurs « requêtes » écrites dans cette intention. Voici celle qui fut produite en 1611 à Aix-en-Provence lors de la mémorable affaire Gaufridi :

« Je, Louis Gaufridi, renonce à tous les biens tant spirituels que corporels qui me pourraient être conférés de la part de Dieu, de la Vierge Marie et de tous les Saints du paradis, pareillement de mon patron, saint Jean-Baptiste, saint Pierre, saint Paul et saint François, et de me donner de corps et d'âme à Lucifer ici présent avec tous les biens que je ferai à jamais : excepté la valeur du sacrement pour le regard de ceux qui le recevront. »

Il paraît que Lucifer répondit : « Par la vertu de ton souffle tu enflammeras en ton amour toutes les filles et femmes que tu auras envie d'avoir, pourvu que ce souffle leur arrive aux narines. »

***

Les Français de 1600, ces Français durs, robustes, gaillards, moqueurs, étaient donc hantés par le surnaturel. S'ils ignoraient beaucoup de nos peurs — peurs des maladies normales, de la guerre, des accidents, de la mort des enfants — ils tremblaient devant les magiciens et la sorcellerie. Cette sorcellerie caractéristique du temps, qui, aujourd'hui encore, reste enveloppée d'une troublante brume.

III

SORCIERS ET SABBAT

L'HOMME moyen de ce temps avait pratiquement oublié l'existence d'une frontière entre la croyance au diable, dogme chrétien indiscutable, et la croyance à la sorcellerie, opinion généralement admise, sanctionnée par l'autorité de théologiens innombrables mais ne faisant nullement corps avec la religion. Il eût été surpris de s'entendre rappeler les longues hésitations de l'Église en la matière.

Le *Canon Episcopi*, cité au IXe siècle, dénonçait, condamnait les gens qui tombaient dans le paganisme en admettant les chevauchées aériennes et nocturnes de femmes soumises à la volonté du diable. Trois siècles après, l'évêque de Chartres disait à ce sujet : « Il ne faut pas oublier que ceux à qui cela arrive sont de pauvres femmes ou des gens simples et crédules. »

Il y eut au Moyen Age des lois destinées à combattre la superstition. En 1257 le pape Alexandre IV refusait à l'Inquisition le droit de s'occuper des magiciens, sauf s'ils étaient convaincus d'hérésie. En 1310, le synode de Trèves interdit positivement « qu'aucune femme prétende chevaucher la nuit avec Diane ou Hérodiade, car c'est une illusion du démon ».

Les idées commencèrent à évoluer une dizaine d'années plus tard lorsque Jean XXII se dressa contre « des gens qui, n'étant chrétiens que de nom..., sacrifient aux démons et les adorent, fabriquent ou se procurent des images, des anneaux, des fioles où ils attachent des démons par leur art magique... ».

Il fallut cependant attendre 1374 et le pape Grégoire XI pour que le Saint-Siège incitât l'Inquisition à poursuivre les sorciers.

Comment les poursuivre efficacement à moins de bien connaître leurs buts, leurs pratiques, leurs signes distinctifs ? Théologiens et démonologues se mirent au travail. Une déduction logique servant de tremplin à leur imagination — le culte de Satan doit être en tout le contraire, la caricature du culte divin — « ces hommes sévères, rudes et chastes n'ont reculé devant l'évocation d'aucune infamie et d'aucune luxure ; ils ont créé l'horrible pour adorer le beau, et c'est par les bûchers qu'ils ont éclairé leurs symboles dans la souffrance et dans la mort [1] ».

A la fin du XVIe siècle, la doctrine reposait essentiellement sur le code de sorcellerie rassemblé par Sprenger et sur les multiples dépositions recueillies au cours des procès. Elle fournissait des définitions précises, minutieuses qui ne laissaient dans l'ombre aucun détail et traçaient leur voie aux enquêteurs, puis aux juges.

Montaigne s'intéressa à la question. Il voulut voir des sorcières « sans se laisser garrotter le jugement ». Les femmes qu'il observa lui semblèrent être des folles. Il leur aurait, dit-il, « plutôt ordonné de l'ellébore que de la ciguë ». Tel n'était en aucune manière l'avis du Saint-Office et des Parlements, ni celui de l'opinion en général. Les crimes imputés à ces personnages inspiraient une insurmontable horreur.

En revanche, les astrologues, les mages, les devins jouissaient d'un prestige immense. Catherine de Médicis les avait attirés en foule et réglait sa conduite selon leurs propos. La prédiction qui lui fut faite à Chaumont, en 1559, et qui promettait le trône à Henri de Bourbon après l'extinction des Valois, lui dicta maintes fois ses actes.

La tradition s'était maintenue depuis. Ces hommes redou-

1. MAURICE GARÇON et Dr J. VINSON : *Le Diable*.

tables se rencontraient à la Cour et auprès de la plupart des Grands. Lorsque naissait un prince on tirait aussitôt son horoscope. Henri IV fut accablé de prophéties sur les circonstances de sa mort. Il sut qu'il périrait en carrosse, après sa première « magnificence » (le couronnement de la Reine), dans sa cinquante-septième année, le quatorzième de mai.

Le Roi moqua l'astrologue Thomassin dont il apprit ce dernier détail chez Sébastien Zamet. Il le saisit par la barbe et le traîna assez rudement à travers la chambre.

Cependant son incrédulité n'était pas entière. Sully nous le montre « peureux » en carrosse et redoutant la date de la « magnificence ». Mieux encore ; le Béarnais laissa « provisoirement » à Compiègne le corps de Henri III au lieu de le conduire à Saint-Denis parce que, selon un autre mage, il devait lui-même être enterré dix jours après son prédécesseur [1].

Marie de Médicis et son entourage florentin se fiaient sans réserve aux astres, aux tarots, aux visionnaires.

« M. de Biron, pendant les grands desseins qu'il avait en la tête, s'étant un jour retiré seul en un jardin exprès pour communiquer avec un magicien qu'il y fit venir, qui était un des plus grands du métier (car il parlait fort souvent au diable et avait communication privée avec le malin esprit), s'étant enquis de lui de sa bonne fortune sur laquelle il était fort irrésolu, et de ce qui lui adviendrait, le magicien lui montra un grand arbre plein de feuilles et lui dit qu'il arrêtât la vue sur celle qu'il voudrait, et que sans doute elle tomberait incontinent derrière lui, ce qui advint. Lors M. de Biron lui en ayant demandé la signification, il lui dit qu'étant en la fleur de ses prospérités, il gardât de tomber comme cette feuille, et

1. Cela se vérifia. Après la mort de Henri IV, il parut impossible de l'enterrer sans avoir donné un tombeau définitif à Henri III. Et le corps du dernier Valois fut précipitamment porté à Saint-Denis dix jours avant les pompeuses funérailles de son successeur.

qu'un qui était de Dijon ne lui en donnât le coup par-derrière, et ne le tuât : ce que M. de Biron ayant entendu, s'en moqua et n'en fit autrement compte, disant qu'il connaissait fort bien tous ceux de Dijon ; qu'il se garderait fort bien de celui-là ; et que, s'il ne lui advenait mal que de cette part, qu'il n'en aurait point. Cependant, on dit que le bourreau qui lui donna le coup par-derrière et lui trancha la tête était de Dijon [1]. »

On est surpris de voir l'Église si indulgente envers la puissante corporation des magiciens. Les Grands lui imposaient apparemment cette politique, car leur superstition n'aurait pu se passer d'oracles.

Des imprudents démunis de patrons bien en cour payaient parfois pour les autres.

Voici la sombre histoire de Castagne, frère gardien du couvent des cordeliers de Grenoble, et de l'Italien Nobilibus.

« Castagne, qui donnait dans la chimère des curiosités que la religion défend, avait fait venir Nobilibus en Dauphiné comme un homme qui y excellait. Il n'y avait guère plus de trois mois qu'il était arrivé, quand il fut arrêté dans Grenoble où il n'était que depuis huit jours. Les commissaires du parlement qui étaient Gaspard Béatrix Robert, seigneur de Bouquéron, et Pierre de Cornu, l'ayant fait visiter, on trouva sur lui bien des choses qui d'abord le firent passer pour un grand magicien. Ce furent premièrement des bagues d'or, d'argent, de fer et de plomb, dans des enveloppes qui apprenaient que les unes étaient pour l'amour, les autres pour le jeu, d'autres pour se rendre invisible, et enfin elles étaient toutes destinées à quelque usage extraordinaire. On lui trouva encore des plaques des mêmes métaux, avec des caractères et des figures, et enfin des feuilles entières du livre de Corneille Agrippa, de la philosophie occulte, écrites à la main. Il n'en fallut

1. L'Estoile.

pas davantage au jugement des commissaires : ce furent des convictions de magie.

« Nobilibus fut mis dans les cachots, les fers aux mains et aux pieds, et ayant eu ou l'art ou la force de les rompre, cela acheva, dans l'esprit de plusieurs, ce qui aurait pu manquer à la preuve. Le bruit en fut d'abord porté par tout le royaume et vint même aux oreilles du Roi. De sorte que le chancelier écrivit au président de ne rien négliger, afin qu'un crime de cette qualité ne demeurât pas impuni. Et, quelques mois après, Bouquéron étant à la Cour, le Roi voulut en apprendre de sa bouche les circonstances et le détail. Bouquéron était persuadé contre Nobilibus. Castagne, que l'on avait reconnu être de concert avec lui, avait aussi été emprisonné.

« Néanmoins, ni Castagne ni Nobilibus ne furent convaincus d'aucun autre crime, et dans le Parlement les plus savants, et en ce nombre étaient le premier président et Expilly, tombaient bien d'accord que Nobilibus était un fourbe et un imposteur, mais ils doutaient qu'il fût magicien. On n'avait vu aucun effet ni de ses bagues, ni de ses plaques magiques. Il y avait bien des témoins qui déposaient les uns que Nobilibus leur avait voulu faire parler au démon et qu'il avait commencé des cernes pour les y enfermer ; les autres, qu'il s'était vanté de pouvoir faire sortir et naître pour ainsi dire un cheval du milieu d'une muraille, et d'avoir fait une bride et une selle qu'il lui mettrait, qu'il le vendrait effectivement comme un cheval véritable et qu'après, l'acheteur ne s'en trouverait avoir que la bride et la selle. Mais ceux-là avouaient qu'ils n'avaient pas eu assez de courage pour en venir à l'effet, et les autres n'avaient vu non plus ce cheval magique ; il n'en avait point paru.

« Quoi qu'il en soit, Nobilibus fut condamné à la mort, qu'il souffrit sans rien dire ni faire qui fût indigne d'un bon chrétien. La curiosité a fait naître toutes les sciences, mais lorsqu'elle ne demeure pas dans les bornes que la religion et la politique lui prescrivent, elle les infecte et les déshonore. Elle est aux bons esprits un cordial et un poison aux autres [1]. »

Théoriquement les devins s'exposaient seulement aux foudres ecclésiastiques et laïques quand ils glissaient vers l'hérésie, c'est-à-dire quand ils exerçaient leur art avec l'aide du diable. Subtilité propre à masquer tous les opportunismes. En fait, ces gens bénéficiaient d'une sécurité proportionnelle à la puissance de leurs protecteurs. Une femme nommée la Scote tenait paisiblement boutique de magie en plein faubourg Saint-Germain. Elle ne fut jamais inquiétée.

Sorciers et sorcières ne pouvaient rien espérer de pareil. Ils apparaissaient comme des monstres, des monuments d'iniquité, des fabricants de malheur. Cette malfaisance n'avait d'égale que leur lubricité. Jamais leurs corps ne portaient assez de souillures, leurs âmes assez de péchés pour insulter selon leurs vœux à la majesté divine. Lorsque le diable n'intervenait pas lui-même, il le faisait par leur intermédiaire.

Les sinistres exploits des sorciers ne se comptaient pas. Il y en avait de toutes sortes depuis la farce grossière jusqu'à l'inceste et au crime. On a vu que ces ministres de Satan se plaisaient à paralyser les nouveaux époux. Ils provoquaient aussi les avortements, répandaient la tuberculose, la folie, les spasmes de l'œsophage et combien d'autres maladies! Ils tuaient le bétail, tarissaient le lait des vaches, séchaient les récoltes, suscitaient des incendies. Ils conduisaient la foudre, déchaînaient la pluie, la grêle, le tonnerre ou amenaient le gel en battant avec une baguette l'urine qu'ils avaient répandue. Des insectes funestes leur obéissaient. Leur regard exerçait une fascination mortelle. La composition et l'usage des poisons, des « venins », étaient leur spécialité.

Les sorciers se changeaient parfois en loups-garous. Cette faculté leur fut d'abord déniée. Puis les exemples de Nabuchodonosor devenu bœuf, les métamorphoses de Jupiter,

1. CHORIER : *Vie de Prunier de Saint-André.*

celles des compagnons d'Ulysse et quelques autres non moins célèbres emportèrent la conviction des docteurs.

A la fin du XVIe siècle la lycanthropie était admise. On avait vu des chattes reprendre forme humaine. Quelques mois avant l'avènement de Henri IV un chasseur apporta à un gentilhomme d'Auvergne la patte d'un gros loup coupée au cours d'une lutte contre l'animal. Soudain la patte se transforma en main humaine. Sur cette main brillait une bague, et la bague appartenait à l'épouse du gentilhomme. La dame, appelée, parut, son bras caché sous une étoffe. Horreur! la main était absente!

On croira qu'il s'agissait d'une pure légende. Mais la malheureuse femme fut bel et bien brûlée à Riom.

Un loup-garou arrêté en 1610 eut plus de chance. On l'enferma en un monastère de Bordeaux où M. de Lancre alla le voir : « Je trouvai, écrivit ce juge, grand expert en démonologie, je trouvai que c'était un jeune garçon de l'âge d'environ vingt ans... les yeux hagards, petits, enfoncés et noirs, tout égarés par la vue desquels il faisait paraître qu'il était comme honteux de son désastre, n'osant quasi regarder le monde au visage.... Il avait des dents fort longues, claires, larges plus que le commun et aucunement en dehors, gâtées et à demi noires à force de se ruer sur les animaux et sur les personnes ; et les ongles aussi, longs et aucuns tous noirs depuis la racine jusqu'au bout, même ceux de la main gauche que le diable lui avait prohibé de rogner. Et ceux qui étaient ainsi noirs, on eût dit qu'ils étaient à demi usés et plus enfoncés que les autres, *ce qui montre clairement qu'il a fait le métier de loup-garou et qu'il usait de ses mains et pour courir et pour prendre les enfants et les chiens à la gorge*.... Il sautait si dextrement et bondissait si légèrement que saurait faire un lévrier. »

Ce garçon ne cachait pas son goût pour la chair des petits enfants, notamment pour celle des petites filles qui « lui étaient en délices ».

La terreur des sorciers atteignait des proportions fantastiques. On en voyait partout. Un inculpé n'avait-il pas soutenu que le royaume en contenait près de cent mille ? D'ailleurs le fait de minimiser leur pouvoir, de croire modérément à leurs maléfices, « d'affirmer que ce sont choses vaines et pleines de rêverie » suffisait à rendre un homme suspect. Son incrédulité l'engageait sur le chemin au bout duquel se trouvaient la torture et le bûcher.

Il ne faut donc pas être surpris que la rumeur publique enflât démesurément la moindre histoire où le surnaturel trouvait sa place. Ni qu'elle favorisât la délation et une sorte d'hystérie du soupçon.

Pouvait être accusé de sorcellerie « celui qui avait mauvaise mine, un mauvais surnom, qui tenait obstinément les yeux baissés, celui qui était né dans un mauvais pays plein de sorciers, celui qui avait coutume de jurer, blasphémer et nommer à tous propos le diable, celui qui ne pleurait ni ne criait à la torture, les vagabonds, celui qui par ostentation de religion demeurait plus longtemps que les autres à l'église, celui qui portait des marques sur le corps [1] » ; celui, enfin, qui, au moment d'un interrogatoire, « ne parlait qu'en crainte, tout tremblotant, pâle et baigné de sueur, parce que le visage et l'œil sont le miroir de l'âme ».

« Le lundi 21 octobre (1596), conte L'Estoile, deux prêtres, l'un sorcier et l'autre putier [2], se battirent dans l'église du Saint-Esprit à Paris. Le sorcier, venant de dire messe, avait oublié sur l'autel la coiffe d'un enfant nouveau-né. Le putier, venant à dire la sienne sur le même autel, comme l'autre y fut venu pour ravoir sa coiffe, et celui qui disait la messe ne la lui voulant rendre, commencèrent avec grand scandale de tout le peuple, de se houspiller et tirailler l'un contre l'autre à qui l'aurait. Mais enfin le putier se trouva le plus fort : si bien que

1. MAURICE GARÇON et Dr VINSON : *op. cit.*
2. C'est-à-dire qui fréquentait les putains.

la coiffe lui demeura : et, ayant accusé celui-ci de sorcellerie, le fit constituer prisonnier à l'évêché dont il trouva moyen par amis de sortir incontinent. Et, se voulant venger de son prêtre, ayant su qu'il entretenait une garce sur les fossés d'entre la porte Saint-Martin et Saint-Denis, fit si bon guet qu'il surprit le prêtre et la garce ensemble, et par un commissaire fit mener l'un et l'autre en prison. La garce avait un cotillon vert, bandé de trois bandes de velours. »

***

Ce qui hantait le plus l'imagination populaire, ce qui obsédait au suprême degré juges et théologiens, c'était la grande fête nocturne du démon, c'était le sabbat.

Le sorciers passaient pour y être convoqués « par un cornet sonné par un diable, lequel retentit seulement aux oreilles et entendements des sorciers en quelle part qu'ils soient [1] ». Maintes fois, pendant les nuits d'orage, des imaginations trop ardentes évoquèrent la fantasmagorie infernale : l'appel de Satan, les sorcières éperdues se frottant le corps de l'indispensable onguent, puis enfourchant leurs balais et traversant la nue, abandonnées aux délices d'une monstrueuse ivresse.

Ce transport — aux deux sens du mot — avait suscité des controverses infinies. Sous Henri IV la doctrine sanctionnait un compromis entre les thèses rivales et admettait plusieurs manières d'accomplir le voyage : à pied (on n'y croyait guère) — en volant effectivement sur le balai destiné à celles « qui étaient trop molles et trop douillettes pour souffrir le rude attouchement de Satan » — soutenu à travers les airs par un diable revêtu d'une forme quelconque — simplement en rêve — dans une extase magique qui, même dissipée, ne permettait pas de distinguer l'hallucination du réel.

Au vrai les spécialistes seuls s'amusaient à ces *distinguos.*

1. Michaelis.

La foule gardait une image pragmatique de la solennité et voyait le peuple immense des sorciers (une seule réunion en aurait groupé douze mille) adorant le Maître à quelque carrefour ou en quelque désert. Malheur au défaillant ! Non seulement il subissait un châtiment corporel, mais il devait payer une lourde amende.

L'extraordinaire cérémonie a bien souvent été décrite. Michelet en a évoqué chaque épisode avec un lyrisme fougueux. Il ne paraît pas utile d'y revenir. L'important, si l'on veut éclairer la mentalité d'un père Cotton, d'un L'Estoile, d'une Galigaï, est d'établir la démarcation entre l'illusion et la réalité. Or les peintures que nous avons du sabbat proviennent essentiellement des aveux extorqués pendant leur procès à ceux et surtout à celles qu'on accusait d'y avoir pris part. Il convient donc d'observer d'abord comment justice leur était rendue.

Précisément, la procédure, longtemps incertaine, prit sous Henri IV sa forme définitive. Les deux juridictions, ecclésiastique et séculière, étaient compétentes. En principe l'initiative appartenait à l'Église, donc à l'official qui découvrait et dénonçait l'hérésie, ordonnait l'arrestation de l'accusé, le condamnait, selon le cas, au jeûne ou à l'excommunication.

Le juge royal devait se rendre au prétoire de l'officialité. Son greffier enregistrait les interrogatoires des témoins et de l'inculpé, menés par le juge d'Église. Quand ce dernier avait rendu son arrêt, le condamné, livré au bras séculier, était transféré à la prison du Roi. Là n'existait plus cette « horreur du sang » que proclamaient les clercs. « Le juge d'Église n'a prescrit que des jeûnes et des prières à l'accusé, le juge royal les abrège par une condamnation à mort. Ainsi il est exempt de jeûner [1]. »

Tel était le droit. En fait, le juge royal, piqué d'émulation, prenait maintes fois les devants et négligeait l'official.

1. BRUNEAU : *Maximes sur les Lois criminelles.*

Il fallait peu de chose pour mettre en branle l'effroyable machine. Tantôt arrivait une dénonciation. Tantôt un crime ou un accident d'aspect surnaturel provoquait ce que nous appellerions une plainte contre X.... Dans le premier cas le délateur était soumis à un interrogatoire serré pendant lequel il ne devait pas se contredire. Souvent un « bruit solide et consistant » suffisait — pourvu toutefois qu'il n'eût pas pris naissance chez des femmes.

La justice ne se montrait pas fort exigeante. Des indices, des « demi-preuves » la contentaient. Un individu a-t-il omis de contrecarrer un maléfice « auquel on pouvait mettre obstacle »? « Quand il se rencontre encore un autre adminicule (une demi-preuve), prononçait Del Rio, on peut lui bailler la géhenne (la torture) et après, s'il y a de suffisantes preuves, lui faire et parfaire son procès. »

Le même jésuite pensait comme beaucoup de docteurs et de légistes que l'énormité, l'horreur du crime autorisaient les juges à oublier les règles du droit.

Ces juges, ainsi armés d'un pouvoir absolu, se trouvaient en outre immunisés contre les malices de Satan. Il avait bien fallu leur donner cette assurance pour qu'ils eussent le courage d'affronter et de punir ses créatures. Les théologiens y avaient employé toutes les ressources de la casuistique. Le Loyer écrivait en 1605 : « On est d'accord que les sorciers ne peuvent nuire aux personnes des officiers et ministres de justice, quelque méchants qu'ils soient. »

Aussi l'homme en robe rouge établissait d'un cœur léger sa « procédure préparatoire », puis le décret assignant la victime, sans prendre garde à l'équité, ni au bon sens.

En revanche il avait soin de priver le sorcier de son pouvoir. L'éloigner de la terre, si proche du royaume infernal, paraissait essentiel à cet effet. L'arrestation se déroulait donc de façon pittoresque. Le sorcier, brusquement saisi, soulevé, mis en un panier suspendu à un bâton, était de la sorte emporté par deux archers. A la prison on lui enlevait ses vêtements et on l'habillait d'une chemise qui — point capital — devait avoir été fabriquée dans les vingt-quatre heures.

En cet accoutrement le misérable comparaissait devant le juge qui, usant largement de son droit de mentir, l'accablait de questions perfides. Tel magistrat « montrait un visage si atroce et une voix si terrible... que, par ce moyen, les accusés se confessaient soudain comme ayant perdu tout courage. Cet expédient, ajoute Bodin, est bon envers les personnes craintives et non pas impudentes ».

L'expertise médicale suivait. La caractéristique du sorcier était d'avoir une « marque », une surface du corps absolument insensible. Pour découvrir le sceau du démon, les chirurgiens, armés de longues aiguilles, transperçaient l'infortuné en mille endroits. Expérience qu'ils se plaisaient à prolonger interminablement.

Il en existait d'autres. Un sorcier, « étant rempli de la substance satanique qui est légère et tend à s'élever pareillement à la flamme, doit être plus léger que l'honnête homme à corpulence égale. » On pesait donc les inculpés, on les baignait aussi. « Car il se trouvait une seconde considération des plus importantes : ils doivent être déjà plus légers que l'eau et de plus l'eau est une substance pure, elle a horreur de ce qui est impur, et par conséquent elle doit rejeter l'impureté satanique.

« On attachait les accusés bras et jambes croisés, les pouces des mains liés aux gros orteils et on les jetait à l'eau. Or, il arrivait que la plupart revenaient à la surface sans pouvoir enfoncer, quelque volonté qu'ils en eussent, car il était dans l'intérêt de tous d'être submergés. L'on vit des familles entières se faire baigner ainsi par précaution ou pour se purger de tout soupçon, être déférées ensuite aux magistrats ou fuir le pays sous le poids de la honte et de la répulsion publique [1]. »

1. Chanoine Lecanu : *Histoire de Satan.*

Une épreuve de ce genre eut lieu à Diuteville en 1594.

Ces formalités accomplies, le procureur du Roi recevait copie de l'interrogatoire, et le procès était soit « converti à l'ordinaire » — il s'agissait alors d'un simple procès civil, cas assez rare — soit « réglé à l'extraordinaire ». Pour la première fois, le sorcier, confronté avec les dénonciateurs, apprenait alors de quoi il était accusé.

On dressait procès-verbal de sa défense. Si ses dénégations ne convainquaient pas le tribunal assemblé, ce qui se produisait généralement, on le mettait à la torture. L'eau, le feu, les brodequins, l'huile bouillante, les tenailles, l'estrapade, bien d'autres supplices encore permettaient d'arracher les aveux désirés par les juges. Il n'y avait point de limites à la question. Une femme la subit jusqu'à cinquante-six reprises!

Après un dernier interrogatoire mené cette fois « en dehors de la géhenne », le tribunal rendait son arrêt. L'acquittement n'était jamais définitif, le moindre incident permettant de ressaisir le suspect. La condamnation, infiniment plus fréquente, entraînait la peine de mort. Le jour même, le sorcier montait sur le bûcher. Ses cendres devaient être jetées au vent.

Comme il a déjà été dit, les réponses des sorciers aux interrogatoires machiavéliques de leurs persécuteurs, les aveux proférés pendant leur martyre faisaient jurisprudence, servaient aux démonologues à renforcer la doctrine.

La concordance des multiples descriptions obtenues de cette manière semble autoriser une vue très nette du sabbat et des autres rites diaboliques. Les hommes de la post-Renaissance y reconnaissaient une preuve irrécusable. Ils ne s'avisaient pas que ces réponses toujours pareilles étaient provoquées par des questions toujours pareilles ; que, loin de confirmer les théories des inquisiteurs, elles les reflétaient. Et jusque dans leurs variantes.

Ainsi les spécialistes n'attachaient pas une véritable importance à la manière dont les sorcières prenaient part au sabbat.

La présence effective et l'hallucination les rendaient également coupables. De là certaines divergences.

Une femme de Mandray près Saint-Dié affirma que « vraiment elle et autres sorcières se trouvaient au sabbat en leur propre personne, habillées de leurs habits ordinaires ». Une accusée de Blémery se montra « toute éperdue et éblouie et aveugle tellement qu'elle ne voyait personne ». Une autre avait distingué la cérémonie « à travers un nuage ». Une autre parla du sommeil magique où Satan l'avait plongée. Deux autres, à l'instar de certains docteurs, admirent la coexistence des sabbats imaginaires et des sabbats réels.

Cela n'ébranlait pas le monument dû à Sprenger et constamment renforcé grâce à de nouveaux « témoignages ». La barbarie délirante des bourreaux soutenait la dialectique délirante qui avait créé la religion satanique. Sur son chevalet de torture le sorcier légitimait les fantasmes des théologiens.

Chaque juge possédait un manuel des questions à poser. A l'identité des questions correspondait l'identité des réponses. Et cette identité confirmait toutes les hypothèses.

Est-ce à dire, selon une thèse bien connue, que la terrifiante histoire de la sorcellerie fut un pure dévergondage cérébral, une prodigieuse illusion ? Que les rêveries de quelques obsédés suffirent à jeter dans les flammes des milliers d'innocents ?

La vérité nous paraît avoir été plus nuancée. On ne saurait le nier : la sorcellerie diminua au même rythme que la persécution, le diable se manifesta moins à mesure qu'il fut moins redouté et poursuivi. Les juges dictaient leurs confessions, leurs récits aux malheureux étourdis de menaces, transpercés d'aiguilles, saturés d'eau, brûlés au fer rouge, pendus par les pieds, dont les os craquaient entre des coins de fer.

Mais ces procès recevaient une publicité considérable. Ils frappaient les esprits, comme les frappent à présent les exploits des gangsters. Peut-on croire que des sorciers, imaginaires ou non, n'aient point suscité des imitateurs ? Ce serait mal connaître l'humanité. Aujourd'hui de jeunes dévoyés s'appliquent à rééditer les crimes célèbres. Au XVIe, au XVIIe siècle, combien de sacrilèges, de pervers, de simples curieux voulurent tenter l'expérience diabolique, adorer le grand bouc noir, célébrer des rites étranges sur une lande perdue, se livrer sous l'égide de Satan aux pires frénésies sexuelles !

Il y eut vraiment alors des messes noires, des assemblées obscènes, des envoûtements, des philtres d'amour et de mort. Il y en eut d'autant plus que la jeunesse, regrettant les aventures de la génération précédente, cherchait des émotions nouvelles pour vaincre l'ennui d'un temps trop heureux.

Ainsi deviennent explicables les « affaires » qui jettent sur la fin du règne une lueur sinistre.

IV

L'EXEMPLE DONNÉ A SALEM

La Lorraine, quoique indépendante du royaume, avait été fort éprouvée par les guerres civiles : batailles, passages continuels de reîtres, pillages, dévastations. Sous l'aiguillon de la misère la superstition y gagnait sans cesse du terrain. Le peuple campagnard vivait dans la terreur des sorciers. Quand il eut attiré l'Inquisition en dénonçant les auteurs présumés de tout le mal, il vécut dans la terreur des juges. Au point que des paysans abandonnèrent purement et simplement leurs terres, leur village.

Un magistrat de Nancy, nommé Rémy, reçut mission de réparer ce désordre. Il fit place nette. Au bout de quelque temps il put se targuer auprès du cardinal de Lorraine d'avoir mené *huit cents* sorcières au bûcher. « Ma justice est si bonne, écrivait-il fièrement, que, l'an dernier, il y en a eu seize qui se sont tuées pour ne point passer par mes mains. »

Cela démontrait la supériorité des méthodes laïques comparées à la procédure lourde et tatillonne des tribunaux d'Église. On soupçonnait, d'ailleurs, les prêtres d'être trop sensibles aux charmes des sorcières. Des hommes plus familiers avec les ruses féminines offraient une moindre prise.

Les moines, seigneurs de Saint-Claude, l'admirent lorsqu'ils s'effrayèrent de voir Satan progresser sur leur domaine. L'âpre Jura cachait au fond de ses forêts, dans des creux de ses montagnes, des nids de sorciers innombrables.

Le juge chargé en 1602 de détruire cette engeance ne ressemblait guère à ses collègues. Légiste rigoureux, M. Boguet était un honnête homme plein de scrupules et même de compassion. Il blâmait les mensonges des juges pendant les interrogatoires, les fausses promesses de grâce, les traquenards ordinaires. Il répudiait l'usage de la torture à laquelle les vrais suppôts du diable ne cédaient point.

En bon juriste qui croyait Satan fort bien instruit de ces questions, il niait les pactes prétendument souscrits par les enfants. Satan n'ignorait pas « qu'au-dessous de quatorze ans, ce marché avec un mineur pourrait être cassé pour défaut d'âge et de discrétion ». Tout cela permettait d'espérer enfin un peu de logique et d'humanité.

M. Boguet procéda à son enquête, étudia particulièrement les rites du sabbat et assit solidement sa conviction. « Il n'y a rien de plus assuré, écrivit-il, que les sorciers s'assemblent pour ce qu'autrement il serait impossible qu'ils s'accordassent si bien en ce qu'ils content de leur sabbat ou même qu'ils en ont plusieurs et en divers lieux : l'on voit comment ils rapportent tous unanimement les offertoires des chandelles, les baisers, les danses, les accouplements, les banquets, les battements d'eau et autres choses semblables qu'ils exercent abominablement en leurs assemblées. »

Aucun détail n'avait été soustrait à la sagacité du juge. C'est sous la forme d'un énorme mouton noir que le prince des Ténèbres se manifestait à ses ouailles jurassiennes et présidait leur effrayante orgie.

L'animal portait une chandelle entre ses cornes. Les sorcières venaient une à une y allumer la leur, faisant jaillir ainsi de longues flammes bleuâtres. Puis elles s'agenouillaient et baisaient le Maître « aux parties honteuses de derrière ». L'heure était venue de la confession publique, de la surenchère criminelle que Boguet décrivait avec minutie : « Elles (les sorcières) rendent compte à Satan de ce qu'elles ont fait dès la dernière assemblée, étant ceux-là les mieux venus qui ont fait mourir le plus de personnes et de bêtes, qui ont baillé le plus de maladies, qui ont gâté le plus de fruits, bref qui ont commis le plus de méchancetés et d'abominations. »

La fête maudite se déroulait alors conformément aux descriptions habituelles. Boguet fut particulièrement frappé par les danses si folles, si frénétiques que parfois les femmes avortaient. Chose remarquable et cependant prévisible puisque tout se passait au rebours de la norme, « les stropiats, vieux, décrépités et caducs étaient ceux qui dansaient le plus légèrement ».

M. Boguet ne vouait aux sorciers nulle haine passionnelle. Après leur avoir épargné la torture, il prenait soin d'adoucir leur mort et prescrivait de les étrangler sur le bûcher. Les loups-garous seuls lui semblaient ne pouvoir être dérobés aux flammes. Il était vain, à son avis, de se montrer cruel. Il fallait, froidement, rigoureusement, anéantir une corporation funeste comme on aurait anéanti des serpents, des sauterelles.

Ce système fut exposé en un ouvrage — le *Discours des Sorciers* — qui causa une sensation chez les experts. « Messieurs du Parlement étudièrent comme un manuel le livre d'or du petit juge de Saint-Claude [1]. » Le résultat ? M. Boguet décima avec méthode la population du Jura. Si la mort ne l'avait surpris, le pays serait devenu une solitude. « Il n'y eut jamais un juge plus consciencieusement exterminateur [2]. »

***

Au début de l'an 1609, au moment précis où *L'Astrée* provoquait une révolution dans l'amour et dans les mœurs, le Parlement de Bordeaux fut saisi d'une affaire dont la gravité le bouleversa.

1. Michelet : *Histoire de France.*
2. *Ibidem.*

Le seigneur de Saint-Pée, près Bayonne, accompagné d'un autre gentilhomme, vint conter qu'il avait été forcé d'accueillir en son château une compagnie résolue à y célébrer sinon le sabbat, du moins une fête satanique. Il restait tellement impressionné par cette extraordinaire séance que ses esprits ne retrouvaient pas l'équilibre : il se croyait le jouet d'une sorcière acharnée à lui sucer le sang!

Une première enquête permit d'entrevoir des choses effrayantes encore insoupçonnées hors du Pays Basque. La plupart des fils de ces rudes provinces couraient les mers et les champs de bataille, laissant leurs épouses seules. Nobles ou paysannes, les femmes seules s'ennuient. En guise de distraction, celles-là pratiquaient la sorcellerie, organisaient ces réjouissances bizarres qui avaient troublé la cervelle au malheureux Saint-Pée.

« Elles exerçaient une terreur d'imagination incroyable », propageaient la folie de la persécution. Le bruit courait qu'en la ville d'Acqs, quarante personnes auxquelles un sort avait été jeté aboyaient comme des chiens. Et ce n'était pas le pire : nombre de prêtres déplorablement fascinés participaient aux cérémonies infernales!

Le Roi fut informé. Tout occupé de sa passion pour Charlotte de Montmorency et de sa guerre prochaine contre l'Espagne, ce sceptique ne mesura sans doute pas quel champ il allait ouvrir aux fureurs du fanatisme. Il accepta de délivrer à deux membres du Parlement de Bordeaux, MM. de Lancre et d'Espagnet, une commission qui leur donnait un pouvoir discrétionnaire sur les sorciers basques, particulièrement au pays de Labour.

M. d'Espagnet, bientôt appelé ailleurs, joua en cette affaire un rôle effacé. M. de Lancre y gagna la gloire.

C'était un homme galant, cultivé, disert, assez fat, auquel le monde n'avait pas marchandé les succès, qui savait manier un style vif et piquant, qui jouait du luth, aimait la danse.

Enclin à la gaieté, chose rare chez les magistrats, et amateur de femmes.

Les femmes justement le bravèrent dès son arrivée au pays de Labour, tandis que les hommes compromis préféraient gagner la montagne. Les premiers interrogatoires furent des comédies. Les Basquaises déclaraient que le diable les avait mises hors d'état de parler. Certaines feignaient de succomber en pleine audience à un sommeil magique pendant lequel Belzébuth les comblait de joie.

Malgré son courroux, M. de Lancre ne se défendait pas de les admirer. Il devait décrire complaisamment « la fascination de leurs yeux dangereux en amour autant qu'en sortilège », leurs belles chevelures éparses : « le soleil y passant comme à travers une nuée, l'éclat en est violent et forme d'ardents éclairs ».

Avec cela l'enquête ne marquait aucun progrès. Soudain le diable inspira véritablement une fille, une mendiante de dix-sept ans, Margarita dite la Murgui, puis, par contagion, une de ses compagnes nommée Lisalda. Les deux enfants vinrent apporter au juge ce qu'il cherchait et bien davantage. Non seulement elles dénoncèrent plusieurs sorcières mais fournirent des sabbats locaux une peinture extraordinaire, fourmillante de scandaleux détails.

Comment M. de Lancre aurait-il éprouvé un doute? La Murgui et la Lisalda confirmaient tous les points sur quoi il les interrogeait, y ajoutaient des précisions qui lui permettaient de moquer l'ignorance des clercs et de se ranger parmi les grands démonologues.

Ces folles lui servirent de guides. Elles le menèrent où elles voulurent et à travers quels chemins! Témoignant d'une adresse proprement infernale, elles surent à la fois l'exciter et l'épouvanter, lui montrer le Malin se glissant sous les rideaux de son alcôve, les sorcières prêtes à l'empoisonner.

Cependant, comme la délation appelle la vengeance, les

jeunes délatrices prirent peur à leur tour devant l'indignation publique. Elles multiplièrent dès lors les accusations.

M. de Lancre regardait d'un œil attendri une belle dame, Mme de Lancinena, qui risquait de le rendre plus raisonnable. Mme de Lancinena, lui dit-on aussitôt, servait la messe noire et faisait l'amour avec Satan. Elle l'avait fait un jour dans la chambre même du magistrat! Son mari était « l'évêque du sabbat ». Cela fut admis.

Les deux filles se virent confier la charge de manier les aiguilles révélatrices. C'était leur donner droit de vie et de mort sur les suspects. On s'en remettait à leur témoignage de savoir si un accusé portait la « marque » fatale.

Alors la tragédie fantastique dont la ville américaine de Salem devait être un jour le théâtre se déroula de bout en bout. Même processus au Pays Basque ardemment catholique de 1609 et en la Nouvelle Angleterre puritaine de la fin du siècle [1].

Des femmes, espérant se sauver en imitant la Murgui, dénoncèrent à leur tour. Il y en eut de cette sorte parmi les premières qui furent condamnées. Quand on les conduisit au bûcher le peuple assaillit la charrette pour les obliger à se rétracter. Mais cette horrible bagarre ne servit à rien. Au contraire. Il fallut bientôt choisir entre la délation et les flammes. Un témoin était regardé comme digne de foi à partir de l'âge de... huit ans!

M. de Lancre mena rondement son affaire. Quatre-vingts femmes furent brûlées en quelques semaines. A en croire le récit du magistrat, on voyait des crapauds jaillir de leurs têtes, et les spectateurs, soulevés d'une sainte colère, lapidaient les monstres tandis que, lentement, le feu les dévorait.

Ces exécutions ne causèrent pas grand embarras. Plus

1. Le descendant d'une des femmes condamnées à Salem dans les circonstances que le théâtre et l'écran ont popularisées vient d'obtenir la réhabilitation de sa lointaine aïeule.

épineux fut le cas de huit prêtres, convaincus d'avoir dit en la même église la messe blanche le jour, la messe noire la nuit. Les accusés avaient coutume de se rendre au sabbat, l'épée au côté, et d'y mener leurs compagnes.

L'évêque de Bayonne refusa de s'en mêler, disparut. On fit évader cinq des prêtres maudits. Le juge irrité ordonna de brûler incontinent les trois autres.

Du mois de mai au mois d'août, M. de Lancre purgea le Pays Basque de sa lèpre démoniaque. Puis il se retira, content : et d'avoir honorablement accompli un devoir difficile et d'avoir permis à la science de progresser. Car en recueillant les dépositions des sorcières il s'était beaucoup instruit. L'année suivante il publia un *Tableau de l'Inconstance des Mauvais Anges et Démons* où se trouvait consigné le résultat de ses expériences. Le succès du livre dépassa celui du *Discours des Sorciers* de M. Boguet. On y découvrait de nouveaux éléments d'appréciation sur la forme empruntée par le diable pour se rendre au sabbat :

« Les uns disent qu'il est comme un grand tronc d'arbre obscur, sans bras et sans pied, assis sur une chaire, ayant quelque aspect de visage d'homme grand et affreux. D'autres qu'il est comme un grand bouc ayant deux cornes devant et deux en derrière ; que celles de devant se rebrassent en haut comme la perruque d'une femme. Mais le commun est qu'il a seulement trois cornes et qu'il a quelque espèce de lumière en celle du milieu de laquelle il a accoutumé au sabbat d'éclairer et donner du feu et de la lumière. On lui voit quelque espèce de bonnet ou chapeau au-dessus de ses cornes.... D'autres disent qu'il est en forme d'un grand homme vêtu ténébreusement et qui ne veut être vu clairement. Si bien qu'ils disent qu'il est tout flamboyant et le visage rouge comme un fer sortant de la fournaise. »

Il y avait aussi des précisions sur les pactes : « Cette convention faite avec le diable contient un pacte fourni de conditions si longues et si obligatoires qu'outre qu'on s'y trouve enfourné pour toute la vie et obligé à la rigueur, il a tant d'influence à ce qui est de l'autre monde qu'on ne peut en aucune façon éviter les peines éternelles si le pacte ne se rompt durant cette vie mortelle, ce qui ne se peut faire sans une grande grâce de Dieu. »

A propos du sabbat, M. de Lancre marquait sa surprise d'avoir entendu des sorcières, emportées par le délire des accusations et des aveux, affirmer qu'elles s'y rendaient à peu près toutes les nuits. Mais c'était une sorte de défaillance. L'esprit critique du magistrat ne s'éveillait même pas quand l'assemblée infernale devenait une caricature de la Cour ; quand Satan nommait des ministres pourvus d'une autorité variable selon leur rang ; quand les sorciers recevaient des dignités analogues à celles des officiers de la Couronne ; quand surgissaient un « Maître Dépensier » chargé des Finances, un Grand Échanson, un Maître des Cérémonies.

M. de Lancre, comme on le sait, aimait les femmes. Il ne faut donc pas s'étonner qu'il ait voué une attention particulière au quatrième acte du sabbat, celui où s'accomplit l'union du diable et de la sorcière. Il nota :

« Jamais femme n'en revint enceinte. »

Et Michelet, plus tard, s'indignera non sans candeur :

« Cela jette un jour triste sur le sabbat de ce temps. Froide, égoïste orgie! Cela seul aurait dû, ce semble, convertir toutes les femmes, les éloigner. Et, au contraire, elles s'y précipitent toutes. »

Pourtant, affirmait M. de Lancre, la caresse démoniaque était brutale, cruelle. « On les ouït crier (les femmes) comme personnes qui souffrent une grande souffrance et on les voit revenir du sabbat toutes sanglantes. »

Jeannette d'Abadie au pays de Labour, âgée de treize ans, Marie d'Apiscuette, dix-neuf ans, Marie de Marigrane, originaire de Biarritz, quinze ans, Marguerite de Sare, seize ans, lui avaient fourni sur la lubricité de Satan une multitude d'indications pittoresques et obscènes. Mais hélas! contradictoires.

Un seul point demeurait incontestable : l'étreinte de l'ange déchu provoquait un froid glacial et causait une douleur aiguë, presque intolérable dont, cependant, la sorcière n'était jamais rassasiée.

DEUXIÈME PARTIE

LA SOCIÉTÉ

I

LA COUR

« Vous qui êtes ce grand soleil qui donne vie, lumière et force.... »

Ces paroles d'un ancien ligueur adulant Henri IV pourraient s'appliquer à la Cour. Les Français de toutes conditions la voient ainsi. Princes et Grands, après avoir un peu rechigné, ne manquent pas de s'y montrer assidus puisqu'il n'est plus d'autre moyen de glaner la puissance et l'argent. Gentilshommes, prélats, capitaines, cadets avides de faire fortune s'y précipitent.

Un mouvement continu porte au Louvre ceux qui, au fond des provinces, dans les villes, dans les bourgs, dans les châteaux farouches, les diocèses perdus, les manoirs ruinés nourrissent une ambition ou simplement le désir de goûter aux charmes de l'existence.

La Cour semble un Eldorado. Là s'obtiennent les charges, les pensions, les régiments, là un sourire royal suffit à changer le destin. Là se trouve aussi le modèle suprême. Il faut penser, marcher, danser, parler comme à la Cour. Les femmes et les poètes travaillent efficacement à en convaincre les hommes encore rétifs. Quelle beauté recevrait hors de la Cour la consécration dont elle se sent digne ? Quel génie ne se dessécherait à l'écart de ses rayons bienfaisants ?

Approcher le Roi est un bien sans pareil, un véritable idéal. Bien peu de dames refusent leurs faveurs au Vert Galant quels que soient la forme de son nez et les aspects peu ragoûtants de sa personne. Malherbe écrit : « Les bons sujets sont à l'endroit de leur prince comme les bons serviteurs à l'endroit de leurs maîtresses. Ils aiment ce qu'il aime, veulent ce qu'il veut, sentent ses douleurs et ses joies et généralement accommodent tous les mouvements de leur esprit à ceux de sa passion. »

Aux infortunés retenus malgré eux sur leurs terres les cousins plus heureux décrivent assidûment les moindres actions des élus, enseignent le beau langage, transmettent les décrets de la mode. De petites poupées vêtues avec un soin extrême en apportent l'illustration. De Bordeaux à Rennes, de Toulouse à Sedan, on respecte les rites établis chez le Prince, on emploie les mêmes tournures de phrases, on porte les mêmes ajustements qu'à Paris.

Le prestige de la Cour est semblable à celui de la monarchie : il revient de loin. Les Valois avaient créé en France cet univers fabuleux, plein de délices, d'or, de fêtes et d'amours, ce foyer d'une civilisation. Catherine de Médicis l'avait ordonné en artiste, Henri III lui avait donné ses lois et y avait introduit des raffinements aussi extraordinaires que la fourchette ou le tapis de fleurs jeté chaque soir devant le lit royal. Puis tout s'était effondré pendant les sombres jours de 1589.

Le 21 mars 1594, Henri IV rentre en maître dans ce Louvre où il avait failli être égorgé le jour de la Saint-Barthélemy.

« M. le chancelier, dit-il à Cheverny, dois-je croire à votre avis que je sois là où je suis ? Tant plus j'y pense, plus je m'en étonne. »

Il fait ouvrir les portes de la grande galerie et soupe sous les yeux d'une multitude de Parisiens, « affamés de voir un roi ».

Ce soldat nourri en sa jeunesse à la façon d'un pâtre montagnard saura-t-il adopter le comportement d'une Majesté Très Chrétienne? On le rencontre souvent sous un habit déchiré, « la face et les armes noyées de sueur, la barbe et les cheveux couverts d'une épaisse poussière ». La crasse, les coiffures négligées, les propos rabelaisiens le charment comme des antithèses aux anciennes délicatesses des Mignons. Une virilité grossière va succéder à la grâce équivoque des familiers de Henri III.

Il faudrait une femme pour ménager la transition. Or, l'épouse du nouveau Roi, la scandaleuse Margot, est retranchée bien loin sur le pic d'Usson. Sa maîtresse, Gabrielle d'Estrées, n'ose défier les fantômes des Valois. La première nuit, les deux amants se tenant par la main ont visité une à une les chambres du Louvre, ébahis de se trouver là en propriétaires. La favorite s'est efforcée de dormir dans le lit des reines. Mais vainement. L'ombre terrible de Madame Catherine l'a mise en fuite dès l'aube.

C'est seulement quatre mois après que Gabrielle affrontera une autre demeure royale, Saint-Germain. Peu à peu elle joue ouvertement son rôle de concubine. Elle défile lors de l'entrée solennelle, portant « une jupe toute huppée de blanc et chargée de tant de perles et de pierreries qu'elles offusquaient la lueur des flambeaux ». La sœur du Roi donne des fêtes en son honneur. Devenue marquise, puis duchesse de Beaufort, châtelaine de Monceaux, mère d'enfants légitimés, la favorite prend des manières de souveraine. Les taies d'oreiller de leur lit aux matelas de satin blanc montrent son chiffre entremêlé à celui de Henri.

Vers 1598 on s'est habitué à cette situation inouïe d'un fils de saint Louis vivant publiquement entre sa maîtresse et ses bâtards. Les ambassadeurs traitent Gabrielle en princesse du sang, les ministres recherchent sa protection, les gentilshommes ne l'abordent pas sans avoir baisé le bas de sa robe.

Pour un Espagnol habitué à l'étiquette hiératique de son pays, cette Cour de France où l'on trouve le Roi à quatre pattes portant ses enfants sur le dos représente la chose du monde la plus déconcertante. Une Cour ? C'est un camp, voire une kermesse auxquels fait penser l'antichambre royale pleine d'une foule turbulente, truculente, bigarrée, quémandeuse, querelleuse, au langage fleuri et à l'odeur violente.

On entre là « comme au moulin ». Un habit brodé, des laquais loués sont des passeports suffisants. Il faut également parler haut, s'agiter, bourdonner. Écoutons le baron de Foeneste : « Vous commencez à rire au premier que vous rencontrez ; vous saluez l'un, vous dites un mot à l'autre : « Frère, que tu es brave, épanoui comme une rose ! Tu es bien « traité de ta maîtresse, cette cruelle, cette rebelle ? Rend-elle « point les armes à ce beau front, à cette moustache bien « troussée ? » Il faut dire cela en démenant les bras, branlant la tête, changeant de pied, peignant d'une main la moustache et d'aucunes fois les cheveux... et puis nous causons de l'avancement en Cour, de ceux qui ont obtenu des pensions, quand il y aura moyen de voir le Roi, combien de pistoles a perdues Créqui ou Saint-Luc ou, si vous ne voulez point discourir de choses si hautes, vous philosophez sur les bas de chausses de la Cour. »

Lorsque les Grands paraissent, ils sont eux-mêmes entourés d'une sorte de cour, car l'importance d'un personnage se mesure à celle de son escorte. Un prince, un officier de la Couronne ne rendra pas une visite, n'accomplira pas une démarche sans que ses parents, ses amis, ses principaux serviteurs ne se précipitent pour l'accompagner.

Ces hommes se montrent hautains, ombrageux, glorieux, superbes. Fiers de leur naissance jusqu'à la folie, ils attachent leurs soins constants à faire respecter les prérogatives qu'ils lui doivent. Aussi les querelles de préséance, les drames de l'amour-propre blessé encombrent-ils leur existence. Leur manière de s'avancer, de saluer, d'interpeller sous-entend toujours une sorte de défi.

Leurs compagnes sont fières, hardies, souvent redoutables. Elles aiment la bonne chère, les rasades, l'aventure, l'odeur des batailles et les violentes étreintes des ferrailleurs. Belles ? Le nombre de leurs adorateurs, l'exaltation des poètes, les méchantes histoires des chroniqueurs et les tragédies qu'elles se plaisent à déchaîner en portent témoignage. Leurs portraits en revanche nous déçoivent. Il est vrai que le canon de la plastique féminine a bien changé depuis le temps de ces vigoureuses déesses. Le double menton n'était-il pas indispensable à la parfaite harmonie de leur visage ?

Au Louvre, hommes et femmes rivalisent d'atours éclatants. Les robes pourpres des cardinaux, violettes des évêques, rouges des parlementaires, jettent leurs notes véhémentes. Les livrées sont criardes, les murs remis à neuf flambent de leurs ors tout frais. C'est une orgie de couleurs, une parade aveuglante qui symbolise assez bien la virilité triomphale, l'ardeur à vivre de cette génération. Le Roi traverse allégrement la cohue où un maréchal de France côtoie un cadet de Gascogne besogneux, où un père jésuite devise avec un traitant. Il appelle chacun par son nom et passe en disant :

« Serviteur, *Untel*, serviteur ! »

Le Code de l'Étiquette promulgué sous Henri III, en 1585, est virtuellement en vigueur, mais le vainqueur d'Ivry ne s'en soucie guère. Il a horreur de la contrainte, de la pompe, des cérémonies. Son équipage est souvent si médiocre qu'il lui arrive de se faire bousculer sous la voûte de son palais.

Les choses se passent autour de lui « à la bonne foi ». Un gentilhomme prétend garder ses galoches pour entrer dans le saint des saints, la chambre de Sa Majesté ! Le célèbre comédien italien Harlequin étant allé saluer le Roi, « prit si bien son temps — car il était fort dispos — que, Sa Majesté s'étant levée de son siège, il s'en empara et, comme si le Roi eût été Harlequin : « Eh bien! Harlequin, lui dit-il, vous êtes venu « ici avec votre troupe pour me divertir. J'en suis bien aise, « je vous promets de vous protéger et de vous donner tant de « pension. » Le Roi ne l'osa dédire de rien, mais lui dit : « Holà! « il y a assez longtemps que vous faites mon personnage. « Laissez-le-moi faire à cette heure. »

Un ambassadeur espagnol perd le fil de son discours au milieu d'une audience en voyant Sa Majesté se lever, changer elle-même son siège de place et se rasseoir.

Peu après son retour à Paris, Henri, grand amateur du jeu de paume, se rend au plus célèbre tripot où ce sport est pratiqué, *La Sphère*. Il ôte son pourpoint, puis « tout en chemise encore qu'elle fût déchirée dans le dos », il joue un après-midi entier devant une assistance également émerveillée par son adresse et stupéfaite par sa tenue.

Jamais souverain ne fut moins avare de ses audiences. Il reçoit en personne l'ancienne tenancière du *Grand Cerf* à Saint-Denis venue lui demander pour son mari une place d'aide-marmiton. Bientôt existera tout un florilège de ses « privautés et familiarités », des plaisantes confusions qu'il provoque en se perdant volontairement à la chasse, de ses « mots » dont il est le premier à se servir comme d'un moyen de gouvernement.

Henri IV circule en sa capitale ainsi qu'un simple particulier, se mêle à la foule, interroge les humbles. « Allant une fois au Louvre, accompagné de force noblesse et ayant rencontré en son chemin une pauvre femme qui conduisait une vache, le Roi s'arrêta et lui demanda combien sa vache et ce qu'elle voulait la vendre. Cette bonne femme lui ayant dit le prix : « Ventre-saint-gris, dit le Roi, c'est trop, elle ne vaut « pas cela, mais je vous en donnerai tant. » Alors cette pauvre femme va lui dire : « Vous n'êtes pas marchand de vaches, « Sire, je le vois bien. — Pourquoi ne le serais-je pas, ma

« commère? lui répondit le Roi. Voyez-vous pas tous ces « veaux qui me suivent? »

Il se fourre parmi des paysans au bac de Neuilly et demande à l'un d'eux pourquoi il a la barbe noire et les cheveux blancs. Il citera souvent la réponse : « Sire, c'est que mes cheveux sont plus vieux de vingt ans que ma barbe. » Un pareil ton entre un chef d'État et ses sujets disparaîtra à jamais avec lui.

La seule servitude royale à laquelle le Béarnais se plie volontiers est celle qui nous paraît la plus inhumaine : du réveil au coucher, de la naissance à l'agonie, le Prince et les siens vivent en public. Fétiches de la tribu, ils jouent à longueur de journée une sorte de mystère religieux auquel les sujets doivent assister librement. Aussi n'ont-ils le droit de cacher aucune de leurs actions. Que le Roi consomme son mariage ou se trouve sur sa chaise percée, que la Reine accouche ou donne des soins à sa toilette, rien ne se passera sans témoins. Au contraire de son fils, Henri IV n'en souffre pas. Nous dirions qu'il n'est tourmenté par aucun complexe, et moins que tous par celui de la pudeur.

Il a dans sa vie privée trois passions tyranniques : les femmes, le jeu, la chasse. Miraculeusement, Gabrielle suffit à satisfaire la première. Tant qu'elle sera là, le Vert Galant ne préférera aucune beauté à celle dont il fut dit : « Son visage était lisse et transparent comme une perle dont il avait la finesse et l'eau. Le satin blanc de sa robe paraissait noir à comparaison de la neige de son sein. Ses lèvres étaient couleur de rubis et ses yeux d'un bleu céleste, si luisants qu'on eût pu difficilement juger s'ils empruntaient au soleil leur vive lumière ou si ce bel astre leur était redevable de sa clarté. » Portrait dû à un amoureux, à un poète en mal de pension? Non point. Il a été tracé par une rivale, Mlle de Guise.

L'amour, cependant, n'apaise pas la véritable frénésie qu'apporte le Roi à manier les dés, les cartes. Il y consacre des nuits entières, n'hésite pas, affirme Villegomblain, à chercher « des joueurs dans Paris, gens de peu et petite étoffe pour la plupart, mais qui jouaient gros jeu.... En sorte que de son temps et depuis, il s'est fait plusieurs académies de jeux à Paris au lieu que dans les villes bien policées autrefois il ne s'en faisait que de vertu. Mais en tous États on se forme selon le modèle des princes.... Et par ainsi il augmenta le nombre des joueurs parce que on lui reconnut aimer le jeu ».

Les « différences » étaient énormes. Au moins vingt mille pistoles quotidiennes de gain ou de perte. Un Portugais assez douteux, Pimentel, prendra à Sa Majesté plus de deux cent mille écus — le tiers de la dot de Marie de Médicis! On comprend la fureur, les remontrances, de Sully.

La chasse n'offre pas tant d'inconvénients. Pourtant Henri s'y adonne avec un tel feu qu'il en revient parfois malade et doit « s'aller rafraîchir une heure au lit ». Il y reçoit aussi des blessures dont l'une, provenant d'un coup de pied de cheval, manque de lui être fatale. Rien ne l'arrête, ni le rhume, ni la goutte, ni le vent, ni la neige. Le cerf, le loup, le sanglier, les oiseaux, tout lui est bon. Une de ses joies est d'aller à l'aube « voler » des perdreaux qu'il mangera à son dîner après les avoir patriarcalement partagés entre les gens de sa suite.

Le Roi aime aussi courre la bague et l'on s'étonnera de le voir à cinquante-six ans fournir encore huit courses à Fontainebleau.

En vérité, cet homme ne saurait tenir en place. Jamais il n'a pu s'astreindre à réunir son Conseil autour d'une table. Les affaires de l'État, il les traite en marchant à travers ses jardins. Si vraiment le temps est trop mauvais, il arpente une galerie. Les secrétaires d'État attendent à distance respectueuse, la plume en main. Ils consigneront par écrit la décision lorsqu'elle sera prise.

Le siège de la monarchie n'est pas moins mouvant. Rien, au demeurant, ne se situe plus loin de la tradition capétienne que l'idée d'un pouvoir solidaire d'une ville, d'un palais. Le gouvernement se trouve là où se trouvent le souverain et ses gens. « Le royaume s'est coagulé autour de cet embryon [1]. »

Un caprice de Sa Majesté suffit à mettre en chemin la Cour et tout l'appareil de l'État. Le Roi dit inopinément à son lever :

« Messieurs, nous partirons tantôt. »

Immédiatement l'on s'apprête et dès l'après-midi chacun enfourche sa monture (les carrosses sont rares et la mode indolente des litières est à peu près passée avec les Valois). Les seigneurs, les soldats, les pages, les serviteurs sont à cheval ; les dames sur des haquenées ; les prêtres, les secrétaires sur des mules. D'énormes charrettes transportent les bagages qui comprennent le lit et le couvert. On « tendra » l'appartement royal à l'arrivée. Parfois il s'agit seulement de gagner un château familier, Fontainebleau, Saint-Germain, Monceau, Blois, Chambord. Plus souvent Sa Majesté est partie mater une résistance, inspecter un camp, ranimer un loyalisme défaillant, préparer une expédition militaire. Dans ce cas, l'on ne sait trop en quel endroit l'on couchera. Le Roi exercera son droit de gîte et s'installera chez un de ses sujets, chez les moines d'une riche abbaye, au cœur d'une bonne ville.

Enveloppée d'une colonne de poussière, la prodigieuse caravane passe sur les campagnes comme une nuée de sauterelles. Il lui faut adopter des itinéraires complexes, faute de quoi les régions appelées à la recevoir seraient totalement affamées. Les paysans sont partagés entre la colère et l'émerveillement à contempler ces gentilshommes luisants d'or et leurs chevaux à peine moins parés, les valets multicolores, les bouffons, les nains, les chiens, les oiseaux de proie, les fastueux ambassadeurs, les sombres robins inséparables de leur sac et de leur écritoire et les femmes... si un tel nom convient à ces créatures masquées, étranglées par des

1. Gabriel Hanotaux : *op. cit.*

fraises immenses, la taille étroite, le cheveu teint, pareilles à des idoles couvertes de parures incroyables. Les plus hardies ne craignent pas d'avoir une selle avec arçon et laissent audacieusement entrevoir leurs jambes gainées de soie.

Longtemps, bien longtemps, dans le manoir du hobereau et la chaumière du manant, cette vision fantastique sera évoquée au coin de l'âtre.

Auprès de la Belle Gabrielle, Henri IV mène une existence telle qu'aucun monarque n'en connaît à cette époque. Aux observateurs superficiels il donne l'impression d'oublier ses terribles devoirs pour savourer les douceurs de la royauté et plaire à sa « chère maîtresse ». Malgré la misère du peuple, le faste a reparu au Louvre dès 1595. Pendant le carême de cette année, dit L'Estoile, on y voit « force ballets, mascarades et collations... où les plus belles dames richement parées et magnifiquement atournées et fort chargées de perles et de pierreries se trouvèrent par commandement de Sa Majesté pour faire passer le temps à MM. les ambassadeurs étrangers ».

Au cours de la fête qui célèbre le ralliement du jeune duc de Guise, la favorite danse symboliquement avec le fils du roi des Barricades. Elle porte une jupe de drap d'or de Turquie brodée à fleurs et un corps en taffetas de Florence incarnat et blanc. Douze étoiles de diamants brillent en ses cheveux.

Mais ce sont des divertissements moins pompeux que préfère le Vert Galant. Il les goûte notamment à l'époque du Carnaval en courant la foire Saint-Germain au bras de sa bien-aimée.

La foire Saint-Germain, ses boutiques et ses bateleurs, ses badauds et ses tire-laine, ses bagarreurs et ses mendiants, ses vendeurs d'orviétan et ses montreurs de phénomènes, le flamboiement de ses milliers de chandelles et le vacarme de ses tambourins, mirlitons, sifflets, crécelles.... Le Roi de France s'y ébroue joyeusement, sans souci des regards curieux, sans crainte des assassins. Il rit aux farces des étudiants, aux mauvais tours des pages. Un marchand portugais lui propose une bague de huit cents écus qui séduit Gabrielle, mais qu'il juge trop coûteuse. Les amants se contenteront de rapporter à leur fils aîné, César de Vendôme, un drageoir où sont gravés les « douze signes du ciel ».

Le traitant italien Sébastien Zamet leur offre des tentations d'un autre ordre. Cet ancien cordonnier de Henri III, auquel les malheurs publics ont valu une fortune colossale, s'est construit une petite maison que, face à la place Royale, un haut mur dérobe aux indiscrets. Il faut passer d'une ruelle dans une impasse avant de découvrir la vaste cour, les portiques, les galeries, les terrasses qui dominent le jardin. On trouve en ce lieu les beautés d'une villa lombarde, les raffinements exquis d'un palais vénitien. « Tout ce que la vieille Italie a su des arts de la volupté y est, le solide aussi des jouissances du Nord. Aux sensualités des bains et des étuves parfumées, le maître ajoute l'attrait d'une savante cuisine ; il s'en occupe, il la surveille, il sert lui-même [1]. »

C'est là que le faux ménage royal, entouré de mille soins, se livre en paix à ses fantaisies. On festoie, on joue, on danse. Et peu importe si la compagnie est parfois fort mêlée.

En quittant le délicieux asile, le couple ne regagne pas le Louvre, mais le nouvel hôtel de la favorite, incapable décidément de s'accoutumer à la chambre des reines. Un passage secret fait communiquer le palais avec cette maison. Quatre pages le gardent nuit et jour.

La chambre de la duchesse de Beaufort est tendue de huit pièces de tapisseries des Flandres. Le lit à piliers porte aux quatre coins des pommes en bois doré garnies de panaches blancs. Le ciel de lit et les rideaux sont en velours tanné. Parmi les neuf chaises de noyer doré à dossier de cuir orangé, se signale celle de la favorite, recouverte de toile d'argent et

1. MICHELET : *Histoire de France.*

soie couleur aurore, garnie de franges de soie verte.

Si Gabrielle mène grand train, elle ne commet guère de folies. Elle a le sens de l'économie et garde des sommes importantes en un coffret de fer.

Lorsque les Espagnols prennent Amiens et que Henri doit marcher contre eux à l'improviste, elle lui remet spontanément cinquante mille livres en or.

L'année suivante, elle atteint la dernière marche qui la sépare du trône. Le 2 mars 1599, le Roi annonce à la Cour sa volonté de l'épouser et lui remet la bague qu'il a reçue à son sacre. Mais, aux Pâques suivantes, ayant dîné chez Zamet et fait honneur à son admirable cuisine, l'infortunée est prise de convulsions. Éclampsie ? Poison ? Les gens simples, épouvantés de voir cette beauté devenir « hideuse, effroyable, les yeux tournés, le cou tors et retourné sur l'épaule », s'écrient : « C'est le diable ! » Le médecin laisse entendre le même diagnostic. Mais prudemment il prononce :

« C'est la main de Dieu. »

Gabrielle meurt dans d'inexprimables souffrances sans secours matériels, ni spirituels. Sa tante ne peut qu'étendre son cadavre sur un lit tendu de velours cramoisi — la couleur des reines.

Ce malheur va provoquer de grands changements. Il amène au Louvre non seulement une princesse florentine, Marie de Médicis, mais les innombrables maîtresses entre lesquelles le Vert Galant ne cessera plus de partager son cœur.

***

Arrivant à Paris, la nouvelle souveraine, habituée aux splendeurs raffinées des grands-ducs toscans est horrifiée de pénétrer en un palais « mi-ruiné, mi-construit, mi-antique, mi-moderne ». Ses appartements lui présentent sous un éclairage lugubre des meubles branlants, des tentures passées, des peintures sales. Marie de Médicis se met à pleurer, « étonnée et effrayée, croyant que ce n'était le Louvre et que l'on faisait cela pour se moquer d'elle ».

L'appartement des reines, situé au premier étage, comprend cinq pièces : la salle des gardes, l'antichambre, le « grand cabinet » (salon), la chambre à coucher, le « petit cabinet » (boudoir). Sous la pluie d'or, tout y sera transformé.

Une petite Florence surgit, abondante en merveilles. Les plafonds et lambris sont peints, les murs ornés de boiseries dorées. On admire dans le grand cabinet le tapis d'Orient qui recouvre le carrelage, quatre chandeliers « d'argent vermeil », les chenets en argent massif, douze fauteuils et douze chaises recouverts d'un velours cramoisi.

Là se trouvent les miroirs cloutés d'or, présents, l'un de la duchesse de Mantoue, l'autre de la République de Venise. Ce dernier traversera sans dommage les siècles et les révolutions : on peut encore le contempler en la galerie d'Apollon avec ses marbres, ses colonnes, ses pots à feu, ses figures gravées ou sculptées et ses trois émeraudes parfaites, deux à la base, une au sommet.

La chambre à coucher reçoit le jour par quatre fenêtres dont deux dominent la Seine. Le lit, chef-d'œuvre des tapissiers Antoine, Rousselet et Nantier, a coûté 45 000 livres [1]. C'était un édifice formidable à montants de bois sculptés et dorés, enveloppé de courtines, dressé sur une plate-forme, couronné d'un dais. Un velours « cramoisi rose » en hiver, une soierie de même nuance en été lui servent de parure.

Vingt-quatre plaques d'argent ciselé et deux grands vases d'argent massif ornent le balustre « d'argent plein, moulé et tourné ». Quatre porte-flambeaux géants sont placés aux quatre coins de la chambre. Des tableaux de famille couvrent

1. Il est à peu près impossible de donner la contre-valeur actuelle de la monnaie du temps. Il semble cependant qu'une livre de 1600 corresponde à peu près à 2 500 francs 1958.

les murs. Deux bahuts « façon de la Chine » aux tiroirs d'ébène et d'argent contiennent les écrins de Sa Majesté. Parmi les bibelots innombrables, les porcelaines, les coupes d'agate et de cristal, les paniers de vermeil, les marbres et les statuettes, rayonne un reliquaire enrichi de dix-neuf gros diamants.

Les chefs-d'œuvre de l'orfèvrerie italienne, les tapisseries à fil d'or, les antiques, les médailles, emplissent également le « petit cabinet », séjour préféré de Marie de Médicis.

Autour de ces pièces d'apparat, dans le labyrinthe des corridors, se presse une multitude de petites chambres destinées au service et surtout aux coffres de bois ouvragé où s'entassent les « hardes » de la Reine. « La garde-robe, écrit un contemporain, est accommodée à peu près comme la boutique des merciers, car il y a en un lieu des chapeaux, en un autre des ceintures, ici des jarretières, ailleurs des fraises et des bas et des gants et des chemises. »

La dame d'atours (la célèbre Léonora Galigaï, femme de Concini) a la charge de pourvoir aux toilettes de Sa Majesté. Pour cet objet, elle reçoit du Trésor une somme annuelle de douze mille livres, somme notoirement hors de proportions avec la coquetterie de la lourde princesse que les poètes comparent à Junon et sa dame d'honneur, Mlle du Tillet, à « une vache qui fit un veau ». On l'admettra aisément en constatant que le prix d'une pièce d'étoffe atteint mille et même deux mille livres !

Ces pièces d'étoffe affluent constamment. Léonora les présente à la Reine qui choisit. Le reste est l'affaire des deux tailleurs amenés de Florence, Jacques Zoccoli et Dominique d'Elbène, ainsi que de Baron, passementier-brodeur. Des mains de ces artistes naissent les robes innombrables : grandes robes de parade de toile d'or à fond colombin ; de drap d'or et d'argent brodé, de velours bleu semé de fleurs de lis d'or ; robes plus simples de satin noir de Milan broché d'or et d'argent en façon de broderie, de satin vert à fleurons d'or, de satin incarnadin, de brocatelle de soie à fond noir relevé de jaune doré, blanc et bleu.

Marie de Médicis ayant une corpulence excessive et un caractère singulièrement acariâtre, les tailleurs connaissent des moments difficiles. La cordonnière Judith Leblanc éprouve moins d'ennuis. Le pied royal est gracieux et l'ouvrière si habile qu'on a recours à elle seule bien qu'elle habite Loudun.

Il n'y a point alors de robe élégante sans collerette en point de Venise. Mode ruineuse que la Médicis a contribué à répandre. On maudit le point de Venise en prose et en vers :

La peste, la méchante et chère marchandise!
En mettant ce rabat, je mis, c'est être fou!
Trente-deux bons arpents de vignoble à mon cou!

La Reine commande ses collerettes à la lingère Marguerite Chartier. Elle en a des quantités. Quantités aussi de chemises en toile damassée d'or et de soie rouge ou de soie blanche ou de soie noire ; quantité de bas de soie incarnats, jaunes, bleus, noirs (en cas de deuil) ; quantité de jupons : en satin violet découpé ; en satin blanc doublé de taffetas vert ; en satin rouge doublé de satin jaune ; en brocatelle à fond bleu ; en satin noir à fleurettes d'or. Les gants les plus réputés viennent de Blois et de Vendôme, mais la Reine en commande également à Paris, aux Trois-Roses, rue Saint-Denis, et au Manteau-d'Or. Certaines paires ont des boutons d'or, voire de diamants.

Marie consacre des sommes importantes à ses parfums. Elle en compose elle-même avec sa chère Léonora. Non seulement par goût, mais par nécessité : la terrible odeur de Henri IV est si célèbre qu'un personnage de comédie auquel on reproche la sienne réplique :

« N'est-ce pas que je commence à paraître roi? »

Peu de femmes à travers l'Histoire possédèrent des bijoux comparables à ceux de la Médicis. Au baptême du Dauphin, sa robe est enrichie par trente-deux mille perles et trois mille diamants [1] !

Le premier joaillier de la Reine, Nicolas Roger, travaille sans arrêt. C'est un personnage très important, qui garde les clefs des coffres et remplit à l'occasion des missions confidentielles. Marie ne s'en adresse pas moins à tous ses confrères pourvus de quelque talent. A ceux du Pont-aux-Changeurs, Louis de La Haye, François Dujardin, Pierre Courtois, Jean Subtil, Mathieu Lescot, Claude Bourdon, Claude Couturier ; à Corneille Roger, rue Saint-Honoré ; à François Le Preste, Galerie du Palais ; à Luc Roiset de Châtellerault qu'elle fait venir à Paris. Nombre d'étrangers ont aussi l'honneur de la servir : les Allemands Georges Langraf, Gilbert Hessing et Hottman ; l'Italien Andrea Fioravanti ; le Flamand Hélie Fuit ; Castruccio de Prague.

La Reine achète, achète inlassablement. De Henri IV, elle tient un collier de perles de cent cinquante mille écus, mais elle en a bien d'autres. Des torrents, des cuirasses de perles que ses peintres se sont plu à reproduire. Pourtant sa véritable folie est celle des pierres. Un seul de ses bracelets composé « d'un ovale de diamant entouré de quatre pierres de même avec devise » coûte la somme inouïe de 360 000 livres [2]. On rêve des Mille et une Nuits devant l'inventaire de ses bagues, sautoirs, pendeloques, croix, chapelets, bouquets de joyaux, « enseignes » (plaques), montres et boîtes.

Jamais collectionneur ne poussa si loin sa passion. Marie prend la fièvre quand elle apprend l'existence d'une belle pièce appartenant à autrui. Elle force Zamet à lui vendre deux diamants, l'un de 15 000, l'autre de 76 000 livres. Le joaillier Fioravanti, moins heureux, se voit contraint de lui faire cadeau d'une bague valant 18 000 livres. Un jour, l'insatiable achète deux pierres pour 20 000 livres et, le lendemain même, quatre

1. *Le Mercure françois.*
2. Quelque 900 millions actuels.

autres pour 30 000. D'un seul coup elle commande au poids trois livres de turquoises à Constantinople. Il serait injuste de ne pas mentionner que la Reine emploie une part notable de ses trésors à combler de cadeaux ses parents, ses amis, ses dames, les étrangers de passage, les princes et princesses de tous les pays.

La Médicis se plaint volontiers de l'avarice de son mari qui a réduit le train des reines de France. Sa maison comprend cependant 460 personnes ; 45 chevaux de carrosse, 15 chevaux de selle et 28 mulets habitent ses écuries. Il y a un carrosse de gala « tout couvert de velours tanné avec clinquant d'argent, le dedans de velours incarnat en broderie d'or » ; un carrosse « riche » rouge et or ; un carrosse « ordinaire ». La Reine a eu le caprice de se faire offrir un bateau de plaisance, une galère. Le grand-duc de Toscane, son oncle, lui expédie gracieusement cinquante forçats turcs destinés à y ramer. *La Régine* coûte fort cher et ne servira jamais.

De 1601 à 1610, Marie de Médicis reste une seule année — la première — dans les limites du budget de 400 000 livres que le Roi a fixé et où l'argent de poche figure pour 36 000 livres. Puis les dépassements augmentent régulièrement. D'où maintes scènes de ménage qui deviennent furieuses devant l'amas des factures impayées. Marie crie « qu'elle n'est pas venue en France pour être mendiante », et, à grands fracas, met en gage ses vases dorés, ses parures, sa vaisselle. Henri, humilié, se trouve bien forcé de les racheter. Mais bientôt ce misérable expédient ne suffit pas et on voit la Reine de France brocanter, spéculer, emprunter à ses parents, à ses domestiques. Pis encore : toucher secrètement une part des énormes pots-de-vin que se fait octroyer Léonora par qui toute requête doit être transmise sous peine d'être rejetée sans examen.

Là n'est pas, cependant, le plus grave sujet des querelles entre les augustes époux. Dès son arrivée en France la Reine découvre que, pendant ses fiançailles, Henri a pris l'engagement écrit d'épouser la demoiselle Henriette d'Entragues, marquise de Verneuil, qui continue d'être sa maîtresse. La créature lui est présentée sans vaine hypocrisie et aussitôt lui manque de respect. Chaque jour, désormais, Marie apprendra les lazzi, les insultes que lui prodigue cette femme.

Henri IV s'est mis de gaieté de cœur dans une véritable géhenne. Il a pu introduire à sa Cour des habitudes de sérail, non inspirer à ses fières compagnes la soumission des odalisques. Le Vert Galant est un naïf. Il voudrait se délasser près d'une épouse caressante, enjouée, bonne ménagère et se réjouir ensuite avec son étincelante et voluptueuse favorite. Il voudrait que leurs enfants, sans oublier ceux de la pauvre Gabrielle, vivent côte à côte en vrais frères et sœurs. La réalité reste loin de ce tableau patriarcal. Épouse et concubines, princes légitimes et légitimés ont beau être réunis sous le même toit, ils apprennent seulement à se haïr. Ce qui ne décourage pas l'incorrigible d'adjoindre à son harem de nouvelles sultanes, de nouveaux bâtards.

Père très tendre, le Roi veille en personne à l'éducation du jeune « troupeau ». Celle du futur Louis XIII n'en est pas moins confondante. Le petit Dauphin voit défiler, tels des rois mages, les ambassadeurs extraordinaires des souverains étrangers. Les pauvres gens viennent vers lui en pèlerinage, demandent les larmes aux yeux la permission de le toucher. Parfois on le montre du haut du balcon à une multitude qui tombe à genoux. Lorsqu'il passe, les tambours battent, les étendards s'inclinent. Et c'est le même enfant auquel on fait répéter en public les gestes obscènes qu'il a dû apprendre, le même enfant qu'on bat dès l'âge de deux ans au point de lui causer des syncopes!

Sa mère se plaint seulement de le voir plus souvent châtié que les bâtards. Henri rétorque :

« Quand il sera roi, il pourra les fouetter à son aise et lui n'aura personne qui le fouette. »

Phénomène peu explicable, un peuple qui pousse le sentiment religieux jusqu'à la fureur et s'indigne de la moindre mesure de tolérance ne manifeste nulle indignation devant les mœurs arabes imposées à la famille du Très Chrétien. Au contraire, les aventures du Vert Galant ajoutent à l'auréole du héros. Rien ne servira mieux sa popularité posthume, sa légende.

Bien entendu, dans ce domaine aussi, dans ce domaine surtout, le Roi sert d'exemple. La licence, les débordements des grands seigneurs font paraître fades les scandales de l'époque Valois. L'envoyé du grand-duc de Toscane écrit à son souverain : « En vérité, on n'a jamais rien vu qui ressemble plus à un b... que cette Cour. »

II

LE CLERGÉ

Le clergé de France, premier des trois ordres de la nation, exempt des charges publiques, maître d'immenses richesses, associé en maintes occasions au gouvernement de l'État, entouré d'une pompe et d'une vénération exceptionnelles, le clergé de France vient de traverser la plus terrible crise de son histoire. Il en est sorti vainqueur, non seulement parce que le chef des protestants a dû rejoindre l'Église romaine, mais surtout parce que le Roi a traité avec l'épiscopat et non avec le Saint-Siège.

Henri IV s'est bien gardé de céder à l'ultramontanisme des ligueurs. Il sait quel instrument extraordinaire le Concordat signé à Bologne en 1516 fournit à la monarchie. Ce traité ne livre-t-il pas au Prince tous les évêchés, tous les bénéfices, tous les biens ecclésiastiques du royaume en lui donnant le droit de les confier aux hommes de son choix — sous réserve d'une approbation purement formelle du pape? Aussi le rusé Gascon s'applique-t-il à grandir ces évêques qui dépendent de la Couronne. Il ne va point à Canossa. Le clergé est son seul interlocuteur lorsqu'il conclut pour deux siècles l'accord tacite dont le *Recueil des Maximes et Libertés de l'Église gallicane*, paru en 1594, formule assez exactement les clauses.

Le Roi et le clergé se trouvent donc en tête-à-tête. De leur solidarité naît une religion nationale, fort ombrageuse. Le Roi n'est pas seulement le représentant de Dieu en matière temporelle. Il peut refuser l'admission en son royaume d'un dogme nouveau, il se substitue à l'Inquisition qu'il repousse, poursuit l'hérésie et les atteintes à la foi, juge les doctrines théologiques, accepte ou condamne les bulles pontificales. Les âmes de ses sujets le soucient autant — plus peut-être — que leur bonheur terrestre.

Le droit divin du monarque ne saurait être mis en question. « Le Roi étant en France un objet de religion, il y a une religion du Roi. » Ce qui permet à la fois de maintenir le loyalisme des sujets et de repousser les prétentions étrangères.

L'évêque, lié au Roi, jure de l'avertir s'il apprend quelque trame contre lui ou contre la sûreté du royaume.

Voilà les présents fabuleux de l'épiscopat français à la dynastie des Bourbons. Au surplus, les clercs servent l'État en assurant l'enseignement, l'état civil, l'assistance publique, en versant maintes fois des décimes au Trésor. Le don gratuit consenti chaque année atteint un million de livres.

Le Roi ne se montre pas ingrat. Il garantit les prérogatives, la primauté, les biens, la splendeur de l'Église, il l'exonère d'impôts et de toutes les autres servitudes, notamment militaires, il l'autorise à percevoir la dîme, il la soustrait à la compétence des tribunaux laïques, il appelle souvent ses représentants au Conseil. Il lui « rend en piété, en déférence attentive, en bienveillance généreuse ce qu'elle lui offre chaque jour en concours dévoué et en obéissance ».

Cette obéissance, le clergé la marchande parfois. Ses remontrances à Henri IV ne sont point rares. L'ancien hérétique adopte pour y répondre un ton inimitable. Il dit à la délégation venue se plaindre de l'Édit de Nantes (1598) :

« Je ferai en sorte, Dieu aidant, que l'Église sera aussi bien qu'elle était il y a cent ans. J'espère en décharger ma conscience et vous donner satisfaction. Cela se fera petit à petit : Paris ne fut pas fait en un jour.... Vous m'avez exhorté de mon devoir, je vous exhorte du vôtre. Faisons bien vous et moi :

allez par un chemin, moi par l'autre et, si nous nous rencontrons, ce sera bientôt fait. Mes prédécesseurs vous ont donné des paroles avec beaucoup d'apparat et moi, avec ma jaquette grise, je vous donnerai les effets. Je n'ai qu'une jaquette grise, je suis gris par le dehors, mais tout doré au-dedans. »

A Pierre de Villars, archevêque de Vienne, qu'il a reçu en ses jardins des Tuileries et qui, au nom de l'Assemblée du clergé, lui expose force doléances :

« Les considérations du monde combattent souvent celles du Ciel. Néanmoins, je porterai toujours mon sang et ma vie pour ce qui sera du bien de l'Église et du service de Dieu.... Commencez par vous guérir vous-même et excitez les autres, par vos bons exemples, à bien faire.... Je vous veux maintenant dire un mot en père. Je suis offensé par la longueur de votre assemblée, du grand nombre de vos députés.... Je suis étonné des brigues qui se font parmi vous autres, vous réjouissez par vos divisions ceux qui ne vous aiment pas. Je veux à l'avenir que l'on ne fasse point un si grand nombre de députés et, pour le présent, regardez à l'abréger, autrement je vous retrancherai. Il y en a qui sont à faire bonne chère en cette ville aux dépens des pauvres curés et qui font ménage pour trouver plus grande épargne à leur retour.... Vous mettez par vos longueurs les pauvres curés à la faim et au désespoir. Je veux me joindre avec eux et les plus gens de bien de votre compagnie.... Je serai le chassavant. Au reste, assurez-vous de mon affection au service de Dieu et à votre protection. »

Selon l'estimation de l'ambassadeur vénitien, les guerres civiles ont coûté quarante millions d'écus d'or au clergé dont le revenu dépasse néanmoins six millions d'écus. La dîme lui apporte trente millions de livres chaque année. Ces richesses sont fort mal réparties et l'on peut rencontrer des prêtres mendiants.

Il y a bien loin de ces malheureux aux cardinaux et à leurs magnificences.

Voici le récit de l'installation au siège archiépiscopal de Sens du cardinal du Perron, enfant prodige de l'humanisme, qui, vingt ans plus tôt, écrivait des vers singulièrement osés :

« Son entrée solennelle à Sens eut lieu le 26 octobre 1608, c'était un dimanche.... Le chapitre, le clergé de la ville et de ses cinq abbayes, revêtus de riches chapes, suivis des autorités et d'une grande foule de peuple se rendirent à l'église Saint-Pierre-le-Donjon et y trouvèrent le nouvel archevêque revêtu de la pourpre cardinalice.

« La cérémonie d'installation fut présidée par Edme Maujean, grand archidiacre de Sens, assisté de Charles Prévost, abbé du monastère. Le cardinal, debout devant le maître-autel, prononça la formule du serment ; il jura de maintenir les droits et privilèges du chapitre, et il signa cette formule sur le *Livre d'Or* du Trésor de la Métropole où on peut la voir encore. L'archidiacre le fit alors asseoir sur le trône qui lui avait été préparé, à droite de l'autel. C'est là qu'eut lieu l'obédience du clergé séculier et régulier. Après quoi, le prélat, assis sur son fauteuil, fut porté, d'abord par des religieux jusqu'au seuil de ladite église, puis par ses domestiques (remplaçant les vassaux absents) jusqu'à l'entrée de sa cathédrale. Là, il fut harangué par l'archidiacre, auquel il répondit, puis il vint jusqu'au pied de l'autel, y fit une courte prière et alla revêtir ses ornements pontificaux dans le Trésor. Il célébra sa messe, à l'issue de laquelle il donna sa bénédiction pontificale [1].... »

Du Perron ne réside pas plus en son diocèse que la majeure partie des évêques. Les robes pourpres et violettes apportent des touches indispensables au tableau chatoyant de la Cour. Une sensible différence existe cependant entre les survivants

1. *Gallia Christiana*, tome VII, p. 365.

de l'époque Valois et les prélats choisis par Henri IV. Les premiers continuent en général à se croire « dispensés de vertus » ; chez les seconds, beaucoup d'hommes éminents permettent au Roi de saluer un grand changement.

A en croire Richelieu, alors évêque de Luçon, le Béarnais va un peu vite. Néanmoins, un Cospeau à Aire, un Donnadieu à Auxerre, un Fremyot à Bourges, un Du Laurenc à Embrun, un Pierre du Vair à Vence prouvent que le haut clergé commence à remonter une pente funeste. Le Roi déplore de ne pouvoir donner un grand diocèse à François de Sales. Il prend les évêques de Belley et de Montpellier parmi ses disciples. En revanche, il nomme à Lodève un enfant de quatre ans !

Les curés, dont certains règnent en leurs paroisses comme de petits seigneurs et certains connaissent le dénuement, sont d'une ignorance déplorable. Lorsque, après la mort de Henri IV, les décisions du Concile de Trente entreront enfin en vigueur, nombre d'entre eux n'y comprendront goutte. Les curés pauvres mènent une existence pénible qui contraste avec l'existence bénie des évêques et des abbés. Un fossé se creuse entre les deux clergés.

Des âmes pieuses s'inquiètent de tout cela, songent aux moyens d'instruire les prêtres, de les rapprocher les uns des autres. L'idée des séminaires commence à germer chez Bérulle, mieux encore chez un ancien bouvier, rude, pesant, facétieux, obstiné, M. Bourdoise.

« Je n'avais pas quatre ans, dit ce gros garçon, et je ne songeais qu'à voir dans l'Église des prêtres qui prissent le chemin du ciel et y conduisent les peuples. »

Sans qu'il s'en doute, à Rattaincourt en Lorraine, Pierre Fourier, curé de campagne, a le même souci. Celui-là passera sa vie à préparer un livre, *La Pratique des Curés.* Il fait quatre parts de son troupeau : « les parfaits, les profitants, les commençants, la bande perdue ». Selon lui, le curé doit être « pasteur de peuples, père, mère, capitaine, guide, garde, sentinelle, médecin, avocat, procureur, nourricier, exemple, miroir, tout à tous ». Quel dommage que le Béarnais n'en ait jamais rien su !

Les moines sont partout : au sein des puissantes abbayes entourées de terres qu'ils cultivent ; à la Cour dans le sillage des Grands et des ministres ; par les rues, sur les chemins, chez le seigneur, sous le chaume. Il n'est pas un paysage, pas un décor sans la robe de bure, la corde et les sandales.

Cette prodigieuse armée contient des saints et des boutefeux, d'humbles quêteurs et des politiques consommés, des apôtres et des conspirateurs, nombre d'hommes fanatiques, farouches qui hier portaient la pertuisane ou l'arquebuse et prêchent encore l'extermination des impies. Là se rencontrent le père Joseph, futur ministre de Louis XIII, le père Athanase, providence des filles perdues, le père d'Aubigny impassible devant les questions trop significatives de Ravaillac.

Richelieu, parlant de cette époque, dira : « La licence était si grande dans les monastères d'hommes et de femmes qu'on ne trouvait en ce temps-là que des scandales et des mauvais exemples en la plupart de ceux où l'on devait chercher de l'édification. » Sévérité qui manque de nuances. Pour les réguliers surtout la grande réforme des esprits et des mœurs est commencée.

En cette Église gallicane où, dit-on, elle défend non seulement la cause de l'ultramontanisme, mais encore celle de l'Espagne, ennemie naturelle de la France, la Compagnie de Jésus occupe une place très particulière. Elle a travaillé avec ardeur en faveur de la Ligue. Quand Jean Chastel, nourri dans ses collèges, essaie de tuer le Roi en 1594, ses innombrables ennemis obtiennent qu'elle soit bannie de France, interdite.

Les protestants alors ne sont pas les seuls à clamer leur joie. Car, si les jésuites ont beaucoup de protecteurs, de créatures, ils sont généralement exécrés. Le Parlement, la Sorbonne, la plupart des autres ordres, la bourgeoisie, ce que nous appellerions le Français moyen, voient en eux « la bête noire ». Mille récits courent sur leurs machinations diaboliques, leurs complots, leurs crimes. Les jésuites ne sont-ils pas les théoriciens de la restriction mentale et du « tyrannicide » ?

Henri IV s'inquiète de laisser délibérément au service de l'Espagne des hommes si habiles et si dangereux. Il pense qu'il faudrait au contraire les séduire, les attacher à la Couronne.

Les jésuites l'assiègent avec un art sans égal et triomphent. Le monarque, dont un des leurs (Mariana) a d'avance justifié l'assassinat, se fait leur champion. Il vient patiemment à bout des oppositions, des résistances et, en 1603, voilà la Compagnie revenue. Deux ans après, la Conspiration des Poudres, ourdie par elle contre le roi d'Angleterre et manquée de justesse, soulève un furieux mouvement d'opinion, mais ne parvient pas à la déraciner.

Henri IV lui remet sa conscience, le célèbre père Cotton devient confesseur de Sa Majesté.

Pendant les dernières années du règne, les jésuites s'infiltrent partout et acquièrent une influence énorme. Bénéfique assurément en ce qui concerne l'enseignement. Sur les autres chapitres, le public garde ses préventions. Après le meurtre du Roi, le Jésus sera immédiatement suspecté.

Voici quelques passages du réquisitoire dressé contre lui, en 1610, dans l'*Anticotton*, pamphlet attribué d'abord à Pierre du Moulin, puis à César de Blaix, avocat orléanais :

« Que si, en sept ou huit ans, depuis leur rappel, ils (les jésuites) ont si bien fait qu'ils ont acquis pour plus de cent mille écus de rente et bâti en plusieurs endroits, notamment à La Flèche une maison qui revient à plus de deux cent mille écus, que feront-ils s'ils sont encore en France une vingtaine d'années ? C'est un chancre qui gagne toujours, ils ne peuvent être en un lieu sans régner.... Ils attireront toute la jeunesse parce qu'ils sont plus habiles que les autres à s'insinuer dans les familles, à entretenir les femmes dévotes, à caresser leurs enfants, cependant qu'ils engloutissent les terres et successions entières dont adviendra que l'Université de Paris ne sera plus qu'une ombre et ne peut éviter une ruine assurée.... En faisant les savants et les entendus, ils empiètent sur l'État et tâchent de mettre les rois en tutelle et émeuvent les peuples à sédition, lesquels, s'ils eussent trouvé aussi prompts à s'émouvoir qu'ils sont ardents à les solliciter, déjà la France ruissellerait de sang et la mort du Roi eût été suivie de massacres tant d'une que d'autre religion ; car c'était leur espérance en ce malheureux parricide. »

Le père Cotton répondit dans une longue lettre à Marie de Médicis : « Notre petite Compagnie est entre et sur toutes les familles religieuses la plus exposée à la haine et à la calomnie de ceux qui ne prennent la peine de la connaître.... C'est donc en cet endroit, Madame, où vous êtes très humblement suppliée d'employer votre suprême autorité et ordonner que tous les écrits qui sont au commencement allumettes de rébellion et deviennent en peu d'heures flambeaux de sédition soient ôtés de devant les yeux des Français. »

III

LA NOBLESSE ET L'ARMÉE

A LA FAVEUR des guerres de religion s'était levé une fois encore l'ouragan d'une réaction patricienne.

Les seigneurs, après avoir retrouvé une manière d'indépendance et contraint le Roi à trembler devant eux, n'ont pas su en profiter pour restaurer une puissance durable, moins encore pour se rapprocher du peuple. Loin de là : les souvenirs laissés par les tyrannies locales ont conduit le Tiers État à réclamer la monarchie absolue. Une partie importante de la petite noblesse — qui sort ruinée, harassée, des années terribles — aspire elle-même à cette tutelle protectrice que les Grands ne sauraient souffrir.

La caste superbe des hommes « nés » devrait faire un choix. Elle pourrait se rallier sincèrement au Roi, le soutenir en s'appliquant à modérer son action centralisatrice. Elle pourrait se dérober aux attraits et aux pièges de la Cour, s'efforcer de regrouper autour d'elle les gens des campagnes, constituer une force cohérente avec laquelle la monarchie serait obligée de compter. A cette croisée des chemins une dernière chance lui est offerte de s'associer à l'évolution de la France, peut-être de l'orienter.

De la direction qu'elle va prendre dépend tout son avenir. Mais nul ne semble en avoir conscience. Qu'il soit duc ou hobereau, chacun songe uniquement à ses intérêts personnels : des intérêts bien différents à la base et au sommet.

La noblesse qui ne fut jamais homogène aurait à ce moment grand besoin de l'être. Elle se partage au contraire en deux fractions de plus en plus éloignées l'une de l'autre.

Aussi convient-il d'observer séparément le féodal, encore capable d'ébranler le trône, et le gentilhomme, forcé de s'adapter aux temps nouveaux.

*
* *

Les membres de la famille royale, les princes étrangers, les héritiers de ceux qui détinrent une souveraineté provinciale, les ducs et pairs, les gouverneurs de province, les grands officiers de la Couronne, les courtisans, les ministres transfigurés par la faveur royale, voilà les Grands. Ils sont en général extrêmement riches, Henri IV ayant dû leur acheter son royaume. Ils possèdent des domaines immenses, lèvent des troupes, vivent entourés de vassaux, de clients, de serviteurs. Certains comme le duc de Bouillon, le duc de Nevers règnent sur des principautés indépendantes et ne craignent pas de déclarer la guerre au Roi.

Bien pourvus d'alliances familiales et politiques avec les autres souverains, ils sont toujours prêts à introduire en France l'Espagnol, l'Anglais ou l'Allemand pour soutenir leur cause contre celui auquel ils ont juré fidélité. Un Montmorency, un Lesdiguières, un La Force se comportent en leurs gouvernements ainsi que des satrapes, bafouent les ordonnances royales, font mine de se révolter à la première sommation un peu rude.

Le sentiment national leur est rigoureusement étranger. Serviteurs dévoués de l'État, ils peuvent l'être et le sont à l'occasion, tant que ce service accroît leur fortune. Mais qu'ils ne se trouvent plus à la source des honneurs et des profits, ils deviennent immédiatement des rebelles en puissance. Tels, Épernon à la mort de Henri III, Sully lui-même aussitôt après l'assassinat de Henri IV.

Premiers bénéficiaires des troubles, ils les ont entretenus de leur mieux, puis, forcés de s'incliner devant ce sceptre qui avait failli être saisi par l'un des leurs (Guise ou Mayenne), ils en ont réclamé le prix au Bourbon râpé dont la pauvreté leur avait fait horreur.

Dès que l'homme au panache blanc aura disparu, ils se remettront à rançonner son héritier. En attendant, s'ils conspirent quelque peu, ils songent surtout à jouir de leur butin.

Le grand seigneur des années 1600 est encore auréolé d'un prestige quasi religieux. Sa race le met très au-dessus du reste de l'humanité et des lois destinées au commun : ni lui ni personne n'éprouve à ce sujet le moindre doute. C'est généralement un homme dépourvu de culture, voire analphabète (le connétable de Montmorency), dont l'orgueil et le courage physique ne connaissent point de bornes, superbe, arrogant, fastueux, truculent, brutal, avide et prodigue, généreux envers les siens, impitoyable pour les autres, profondément dévoué à sa maison, à son clan, terriblement chatouilleux sur le point d'honneur sans être encombré de scrupules roturiers. Il a des mœurs dissolues, se vante très haut de ses bonnes fortunes, commet mille folies amoureuses, n'hésite pas à enlever une fille, à ruiner la réputation d'une dame, puis à l'abandonner dans des conditions déplorables.

Son épouse non moins altière, non moins violente, non moins gaillarde, aime aussi le plaisir et ne résiste guère à qui sait la troubler. Elle mène donc joyeuse vie, mais malheur à elle si le scandale l'atteint!

Malgré les combats, la mort fauche plus vite les femmes que les hommes. Beaucoup de Grands ont deux ou trois épouses successives. Avares de tendresse envers leurs enfants, ils travaillent en revanche avec acharnement à bâtir leur fortune. Des guerres civiles peuvent être dues au souci « d'établir » un cadet, à l'ambition d'un riche mariage.

La solidarité d'une illustre famille est invincible, la dévotion à son chef absolue. La sœur du cardinal de La Rochefoucauld dit au duc, son neveu :

« La maison de La Rochefoucauld est une bonne et ancienne maison. Elle existait plus de trois cents ans avant Adam.

— Oui, ma tante, mais que devînmes-nous au déluge?

— Vraiment, voire, le déluge? » répond-elle d'un air sceptique.

Car cette dévote aime mieux douter des Écritures que de ne pas croire sa race antérieure à Noé. Elle a coutume de signer : « Votre bien affectionnée bonne amie pour vous faire un petit de plaisir. »

Les seigneurs entretiennent entre eux des rapports fort semblables à ceux des grands fauves qui parfois se déchirent, parfois se caressent, et la plupart du temps gardent une expectative menaçante. Les fureurs se déchaînent vite, surtout si la gloire du nom semble être mise en cause. Voici le ton d'une discussion au Conseil entre Épernon et Sully :

« Monsieur, déclare le premier, quand il vous plaira de considérer que ma condition n'est pas si abjecte qu'elle m'oblige d'aller chez vous, si bon ne me semble, vous ne me tiendrez pas ce langage.

— Je suis gentilhomme, riposte l'autre, et fort homme de bien ; je ne le cède à homme de France qui ne porte autre titre ; je suis même des plus anciennes maisons de ce royaume.

— Avouerez-vous qu'il y a de la différence entre vous et moi ?

— Il n'y en a point, que celle que les rois y ont mise.

— Si y a-t-il celle-là, celle que mon épée y a mise et y pourra mettre! »

Ces personnages terribles affichent leur gloire sur leurs vêtements. La comtesse de Soissons, la princesse de Conti portent tant de pierreries qu'on distingue à peine l'étoffe de leur corsage. Un habit d'homme coûte facilement le prix de plusieurs fermes et il faut en changer souvent. Regardons passer le cortège d'un Guise, d'un Montmorency, d'un Rohan en chemin vers le Louvre.

Précédant une puissante troupe de gentilshommes, de pages, de laquais, de gardes, le maître avance en faisant piaffer son genêt d'Espagne qui couvre de boue les passants comme les étalages. Il porte la moustache relevée, la barbe en pointe. Une plume blanche ombrage son chapeau rond, une fraise soutient sa tête insolente à moins que, sacrifiant à la mode, il n'ait préféré l'immense et ruineux collet de dentelles cher à Bassompierre. Son pourpoint de satin cramoisi a des crevés d'où s'échappe un taffetas bleu. Une écharpe de même nuance miroite de son épaule à sa hanche, des gants ornés de dentelles montent jusqu'à ses coudes. Ses bas sont de soie avec jarretières richement brodées, ses chausses de velours, ses bottes de cuir de Russie, ses éperons dorés, l'or et les diamants brillent à la garde de son épée. D'autres bijoux luisent à son chapeau, coulent sous sa fraise. Un manteau doublé d'un velours éclatant couvre le tout.

Derrière lui c'est un poudroiement d'or, d'argent, de broderies, d'étoffes multicolores, de harnais scintillants.

Et cela représente la tenue de ville. Dans les « magnificences » on voit bien autre chose. Le duc de Nevers, ambassadeur de France près du Saint-Père, émerveille Rome par un habit de velours noir entièrement brodé de diamants.

En 1609, Henri IV voudra modérer cette frénésie de luxe. Il promulguera un édit somptuaire réglementant sévèrement l'usage de la soie, de l'or, du brocart, sans autre résultat que de s'attirer la double vindicte des seigneurs et des marchands.

La splendeur des maisons correspond à celle des habits. Le même duc de Nevers entreprend d'en bâtir une au bord de la Seine, si belle que le Roi jaloux parle de s'y inviter, car le Louvre en comparaison paraîtra un monument barbare. Nevers, effrayé, arrête aussitôt les travaux.

Montmorency, lui, ne craint pas de laisser Chantilly abriter les amours du Vert Galant. Ses châteaux à travers les provinces ne se comptent pas. A Pézenas, en son gouvernement du Languedoc, il mène un train que bien des princes régnants ne pourraient soutenir.

Vers 1598, Épernon décide d'éclipser tout le monde. Il va édifier à Cadillac, entre un bois et la Gironde, non pas un château, mais une petite ville. La maison comportera soixante chambres, vingt cheminées sculptées, un immense escalier à vis allant des sous-sols aux combles. La façade aura trois cents pieds carrés, le pavillon central cent cinquante pieds de hauteur. Parmi les nombreuses annexes se trouveront une chapelle, un jeu de paume, une cour de quatre cent cinquante pas destinée au jeu de palemaille, des écuries gigantesques, un monastère de capucins, un hôpital, une fabrique de tapisseries. Le jardin, abondant en charmilles, en grottes, en statues, en bassins de marbre, sera percé de soixante-quatre allées. L'ensemble coûtera au duc quelque deux millions de livres, plusieurs de nos milliards.

Les fêtes fracassantes de M. d'Épernon exaspèrent le maréchal d'Ornano, lieutenant du Roi à Bordeaux, qui, un jour d'août 1600, interdit au duc de donner une course de bague dans la ville. Le duc ayant décidé de passer outre, le maréchal met ses canons en batterie, appelle la noblesse aux armes. La noblesse n'obéit pas et Ornano doit avoir recours à une compagnie corse. Épernon, furieux, part pour la Cour, puis envoie à son ennemi ce bizarre cartel :

« Monsieur, je ne doute pas que lorsqu'il vous est venu en la fantaisie de commettre l'action et faire le mouvement que vous fîtes le mercredi pénultième d'août, moi estant à Bordeaux, vous n'ayez dû croire, me cognoissant tel que les personnes d'honneur de ce royaume me cognoissent, que cela me donneroit un juste désir de parler à vous, comme à la vérité je l'ay avec passion et en la sorte que les gens de bien de ma profession ont accoustumé ; c'est ce qui me donne subject de vous dépescher ce page exprès pour vous dire que je m'en vais à la Cour attendre quatre mois de vos nouvelles, soit par le retour de ce porteur, ou telle autre voye honorable que vous adviserez; par laquelle vous me donniez le jour et le lieu pour le bien de vous embrasser en chemise, avec les armes d'un cavalier qui sont une espée et un poignard, afin que, par les effects, j'aye moyen de vous faire voir qu'il n'est pas en la puissance d'un Corce de faire un affront à un gentilhomme français qui demeure vostre affectionné à vous faire service, autant que la courtoisie dont vous m'avez usé m'y oblige. C'est à Toulouse, le septième de septembre.

« J. LOUIS DE LA VALETTE. »

« Je vous envoye ma foy que personne qui vive ne sçait que je vous envoye cette lettre, ny mon page ; je croy que vous avez tant d'honneur que vous ferez de mesme, comme je vous en prie. »

Voici la réponse du maréchal d'Ornano :

« Monsieur, j'ai reçu le billet qu'il vous a pleu m'envoyer par vostre page et suis demeuré fort estonné que, si vous pensiez que ce que je fis en cette ville, vous y estant, vous eust offensé en la moindre chose du monde en vostre honneur, que vous ayez tant dellayé à me donner de vos nouvelles et vous esloignez si loin que vous avez faict et faictes encores, de remettre notre entrevue à la Cour ; c'est le vray lieu qui vous empescheroit et moy aussy de vous donner ce contentement ; ce sera donc à vous de choisir le temps et lieu autre, car, soubs la parolle d'un cavallier d'honneur et la vostre, je me porteray au bout du monde et de ce soyez aussi esseuré que d'article de foy et que je n'y manqueray nullement et vous feray voir que je suis Corse, gentilhomme d'honneur et des premiers de ma nation qui me suis toujours mis en devoir de satisfaire tous ceux qui m'ont demandé quelque chose et qui m'ont voulu faire des affronts sans leur en avoir donné subject. Quant au choix des armes, je l'accepte comme vous le désirez. Je serai donc attendant de vos nouvelles et, si vous persistez que ce soit à la Cour, mandez le moy et je m'y rendray, Dieu aydant, sans autre remise. Cependant, je demeureray vostre bien affectionné à vous faire service, tant que l'honneur me le permettra.

« ALPHONSE D'ORNANO. »

« Je vous promets que personne du monde ne sçaura rien de cecy et vous loue qu'en faciez de mesme. De Bordeaux, le Xe septembre 1600. »

Le Roi apprend l'affaire et impose son arbitrage. Ornano est un serviteur loyal qu'il n'y a pas lieu de craindre. Épernon, au contraire, ne cesse d'intriguer et constitue un véritable péril. Henri IV n'hésite pas : il ordonne au soldat fidèle de faire des excuses au féodal factieux.

Nous avons une description de la vie menée par le sévère, l' « économe » duc de Sully en ses châteaux de Villebon, de Sully, de Rosny, de La Chapelle-d'Angillon [1].

« Outre un grand nombre d'écuyers, de gentilshommes, et de pages qui le servaient, de dames et de filles d'honneur attachées à la personne de la duchesse de Sully, il avait une compagnie de gardes avec leurs officiers et une autre de Suisses et un si grand nombre de domestiques qu'il y a peu d'exemples de particuliers ayant entretenu une maison si grande et si nombreuse. M. le duc de Sully d'aujourd'hui (XVIIIe siècle) a vu le fils d'un ancien chirurgien du feu duc de Sully, mort à quatre-vingt-huit ans, et qui en avait quatorze lorsque le duc de Sully (ministre de Henri IV) mourut. Cet homme lui a dit

1. Sully habita surtout ces maisons après sa retraite, c'est-à-dire sous le règne de Louis XIII. Mais il maintenait fidèlement les usages du temps de Henri IV.

qu'accompagnant son père auprès des malades qui étaient dans le château de Villebon, il en avait compté jusqu'à quatre-vingts, sans pour cela qu'on s'aperçût que le service de cette maison en fût dérangé ou retardé.

« M. de Sully conserva l'habitude de se lever de grand matin. Après ses prières et sa lecture, il se mettoit au travail avec ses quatre secrétaires. Il y employait la matinée entière ; excepté que quelquefois il sortoit pour prendre l'air, une demi-heure ou une heure avant le dîner. Alors on sonnoit une grosse cloche, qui étoit sur le pont, pour avertir de sa sortie. La plus grande partie de sa maison se rendoit à son appartement, et se mettoit en haie, depuis le bas de l'escalier. Ses écuyers, gentilshommes et officiers, marchoient devant lui, précédés de deux Suisses, avec leur hallebarde. Il avoit à ses côtés quelques-uns de sa famille, ou de ses amis, avec lesquels il s'entretenoit : suivoient ses officiers aux gardes, et sa garde suisse : la marche étoit toujours fermée par quatre Suisses.

« Rentré dans la salle à manger qui étoit un vaste appartement où il avoit fait peindre les plus mémorables actions de sa vie, jointes à celles de Henry le Grand, il se mettoit à table. Cette table étoit comme une longue table de réfectoire au bout de laquelle il n'y avoit de fauteuils que pour lui et la duchesse de Sully ; tous ses enfans, mariés ou non mariés, quelque rang ou naissance qu'ils eussent, et jusqu'à la princesse de Rohan, sa fille, n'avoient que des tabourets, ou des sièges plians : car dans ce temps-là, la subordination des enfans aux pères étoit encore si grande qu'ils ne s'asseyoient et ne se couvroient jamais en leur présence qu'après en avoir reçu l'ordre. Sa table étoit servie avec goût et magnificence. Il n'y admettoit que les seigneurs et dames de son voisinage, quelques-uns de ses principaux gentilshommes, et des dames et filles d'honneur de la duchesse de Sully : excepté la compagnie extraordinaire, tous se levoient et sortoient au fruit. Le repas fini, on se rendoit dans un cabinet, joignant la salle à manger, qu'on nommoit le Cabinet des Illustres ; parce qu'il étoit orné des portraits de papes, rois, princes et autres personnages distingués ou célèbres, qu'il tenoit d'eux-mêmes....

« Dans une autre salle à manger, belle et richement meublée, le capitaine des gardes tenoit une seconde table, servie à peu près comme la première, où toute la jeunesse alloit manger et où ne mangeoient effectivement que ceux que la seule disproportion d'âge empêchoit le duc de Sully de recevoir à la sienne. M. le duc de Sully d'aujourd'hui a connu plusieurs personnes de qualité qui lui ont dit que, dans les visites qu'ils se souvenoient d'avoir faites étant encore fort jeunes, chez le duc de Sully, avec leurs pères, il ne retenoit que ceux-cy pour manger à sa table, et qu'il disoit ordinairement aux jeunes gens : « Vous êtes trop jeunes, pour que nous mangions ensemble, « et nous nous ennuierions les uns les autres. »

« Lorsqu'il avoit passé quelque temps avec la compagnie, il remontoit chez lui pour s'occuper encore quelques heures du même travail que le matin. Si la saison et le beau temps le permettoient, il prenoit l'après-dînée le plaisir de la promenade. La sortie se faisoit avec le même cortège que le matin. Il entroit dans ses jardins où, après avoir fait quelques tours, il passoit ordinairement par une petite allée couverte qui séparoit les parterres du potager, et se rendoit par un escalier de pierre que M. le duc de Sully d'aujourd'hui a fait détruire à cause de sa vétusté dans une grande allée de tilleuls en terrasse, de l'autre côté du jardin : le goût d'alors étoit d'avoir grand nombre d'allées, extrêmement couvertes, avec quatre ou cinq rangs d'arbres ou de palissades. Là, il s'asseyoit sur un petit banc ou fauteuil de bois verni à deux places ; et, appuyant ses deux coudes sur une grande fenêtre grillée qui vient aussi d'en être ôtée, il s'amusoit à considérer d'un côté une campagne agréable ; de l'autre, une seconde allée en terrasse, très belle, qui fait le tour d'une grande pièce d'eau, appelée l'étang neuf, et est terminée par un bois de haute futaie nommé le grand parc. Quelquefois aussi c'étoit dans son parc qu'il prenoit le chariot, ou coche avec la duchesse son épouse. L'intervalle de la promenade au souper étoit encore rempli par les occupations du matin. Le souper se passoit comme le dîner jusqu'au moment où chacun se retiroit chez soi.

« Le duc de Sully, ne pouvant à cause de sa religion avoir aucun ordre, il s'en étoit fait un pour lui-même : l'inventaire de ses effets porte plusieurs chaînes de diamans, servant à cet usage. Il portoit à son cou, surtout depuis la mort de Henri IV, une chaîne d'or ou de diamans où pendoit une grande médaille d'or sur laquelle étoit empreinte en relief la figure de ce grand Prince....

« Pour donner à tous les pauvres qui se présentèrent pendant une disette les moyens de subsister, en les occupant à travailler (car il auroit cru perdre tout le mérite d'une bonne œuvre, si elle avoit pu servir à entretenir l'esprit de fainéantise) il leur fit faire une pièce d'eau de trois cens soixante toises de long sur environ soixante de large : on la nomme l'étang de la Chapelle, ou l'étang-canal. Les terres qu'on en tira servirent à élever des deux côtés quatre terrasses, parallèles à ce canal, lesquelles s'étendent jusqu'à l'étang neuf, qui est une autre pièce d'eau au-dessus de celle-cy. Entre ces terrasses et le canal étoient deux fonds de gazon que M. le duc de Sully d'aujourd'hui a fait accommoder en parterres de découpures et en boulingrins. On recevoit indifféremment tous ceux qui s'offroient pour ce travail et jusqu'aux plus petits enfans auxquels on ne donnoit quelquefois pas plus d'une demi-livre de terre à porter : on avoit eu la précaution de faire faire pour cet effet un nombre infini de hottes, de toutes grandeurs. On distribuoit à tous ces pauvres, le matin, un morceau de pain ; à dîner, une écuellée de soupe ; et le soir, outre un morceau de pain, un salaire en argent, proportionné à l'âge et au travail. Cet ouvrage, que le duc de Sully n'auroit jamais entrepris pour le seul embellissement de sa maison, lui coûta quatre-vingt mille livres [1]. »

Ainsi, à l'orée du Grand Siècle, le seigneur demeure un petit souverain ayant sa Cour, ses troupes, sa justice, capable de faire le bonheur ou le malheur de ses vassaux. Il gardera cette splendeur jusqu'à Louis XIV qui l'enfermera dans la cage dorée de Versailles, l'occupera à de vaines intrigues et obligera ses commensaux à dépendre uniquement du bon plaisir royal. Le seigneur cessera à ce moment de constituer un danger, mais perdra les racines qui en 1600 le relient encore si solidement à sa terre.

***

La moyenne et la petite noblesse ont assuré la victoire de Henri IV, mais n'en ont guère bénéficié. Après cette grandiose aventure qui leur valut tant d'âpres plaisirs, elles font leurs comptes et découvrent leur faillite. Plus de rançons, plus de pillages pour satisfaire leur prodigalité. Leurs demeures ont souvent pâti des combats, la valeur de leurs terres baisse implacablement, leurs revenus de même. L'or, dernier vestige des anciens brigandages, se déprécie, les vieilles rentes tombent à des taux dérisoires En revanche le prix des choses nécessaires ou superflues monte à une cadence vertigineuse

Le gentilhomme n'entend pas vivre chichement. Il veut de beaux habits, de belles armes, de belles montures, il aime le jeu, les filles. Malheur à lui s'il n'a pu saisir à temps une place forte et la vendre au Roi! Chef de famille, il dévorera les restes de son bien. Cadet (à moins d'être clerc), il deviendra famélique, retournera aux pratiques des guerres civiles.

« Ils tombent dans une misère d'autant plus pénible que leurs appétits sont plus déréglés. On en voit qui assassinent

1. Abbé de L'ÉCLUSE DES LOGES : *Commentaires aux Économies royales de Sully*.

non seulement leurs ennemis, mais leurs amis [1]. » « Les nobles, dira Richelieu quelques années après, ne reconnaissent liberté qu'en la licence de commettre impunément toutes sortes de mauvaises actions, leur semblant qu'on les gênait si on essayait de les retenir dans les équitables bornes de la justice. » Ajoutons, pour être juste que, trente années durant, la plupart de ces mauvaises actions avaient fait figure d'exploits et qu'il n'est pas aisé de transformer instantanément un code moral parce que deux ou trois parchemins viennent d'être signés. Les générations issues de l'occupation de 1940 en ont fourni récemment la preuve.

Depuis l'entrée de Charles VIII en Italie, depuis un siècle entier, le gentilhomme et ses aïeux n'ont pas cessé de combattre tantôt les étrangers, tantôt les Français. La paix jette la caste entière dans le désarroi. A quoi s'employer ? Comment vivre ? « C'est parmi eux que le proverbe est encore courant : « Un « homme de guerre ne doit rien savoir, sinon écrire son nom. »... Et aussi leur profession étant seulement les armes et la bonne cavalerie, s'ils ont en cela atteint quelque perfection, ils estiment peu les autres vertus [2]. »

En vérité les nobles ne savent rien, sinon se battre, chasser, dresser un cheval. Un matamore de Cour reçoit cette semonce :

« Monsieur, quand le temps de la guerre sera venu, c'est alors que vous pourrez avoir de l'emploi. En attendant, n'ayant pas les qualités convenables pour ce temps de paix, vous ferez bien de vous enfermer vous-même jusqu'aux guerres afin de n'être pas moisi quand le moment serait venu de vous utiliser. »

La nostalgie des temps belliqueux multiplie les duels. C'est une vraie folie. L'ambassadeur anglais écrit : « Il n'y a guère de Français digne d'être considéré qui n'ait tué son homme. » On se provoque à tout propos et même « pour rien, pour le plaisir ». La seule année 1606 voit périr deux mille ferrailleurs.

1. Angelo Badoer : *Relations des Ambassadeurs vénitiens.*
2. Dallington : *View of France.*

En 1607, le Poitou est le théâtre d'une bataille rangée entre deux troupes comprenant chacune près de trois cents hommes. A peine quinze de ces champions échappent sans blessure grave.

Le Roi gronde un peu, mais dit en confidence que de telles actions prouvent la vaillance de la race. Il s'émeut seulement à la veille de sa grande guerre lorsqu'il constate le nombre de ses officiers tombés inutilement. Alors paraît le premier édit rigoureux contre le duel. Il restera lettre morte.

Hélas! les coups d'épée ne procurent aucune possibilité d'existence, sauf à quelques tueurs professionnels. Un choix s'impose donc : entre le château où le gentilhomme (s'il est un aîné) pourra mener librement une vie rurale, frugale, sauvage, et le Louvre, ce palais des mirages dans lequel chacun possède une chance de recevoir quelques gouttes du Pactole.

Négligeons celui qui, ayant préféré un moyen terme, devient le client d'un puissant seigneur et tournons d'abord nos regards vers le provincial quêtant un sourire, une parole de Sa Majesté.

Henri IV accueille les solliciteurs sans bienveillance. Il leur dit « qu'il serait bien aise puisqu'on jouissait de la paix qu'ils allassent voir leurs maisons et donner ordre à faire valoir leurs terres ». Il moque ceux « qui portent leurs moulins et leurs bois de futaie sur leur dos ».

« Je vois bien, déclare-t-il à un méridional trop insistant, que vous êtes de ces Gascons qui sont sortis de leurs maisons par le brouillard et ne peuvent plus la retrouver. »

Nicolas de Brichanteau, marquis de Beauvais-Nangis, a tout perdu. La faveur royale reste son seul espoir. Henri « fuit chaque fois qu'il le voit poindre » ou, s'il n'y réussit pas, prend les devants afin d'éviter une prière importune.

« Bonjour, Nangis, comment se porte votre père? »

« Sur quoi il s'étendit, conte le marquis, parce qu'il savait que mon père était depuis peu estropié d'une jambe. »

A la rencontre suivante, il lui demande l'âge de sa grand-mère, puis se plaint du temps « qui était pesant et lui faisait mal à la tête ».

Un soir, le malheureux croit toucher au port. Le Roi joue aux tarots et Beauvais-Nangis tient la bougie pour l'éclairer. « Or... on lui apporta une lettre d'une de ses maîtresses qui fit qu'il me commanda d'approcher la bougie ; ce que je fis et, de peur de lire la lettre, ce que je pouvais faire facilement, je tournai la tête de l'autre côté. Il se tourna pour me surprendre et voir si je lirais la lettre et je connus bien qu'il n'était pas fâché de ma discrétion.... Ayant quitté le jeu, et se retirant en son cabinet, comme je rendais la bougie au premier valet de chambre en faisant une grande révérence, le Roi, au lieu d'entrer dans le cabinet, tourna court et me prit par la main en me disant que ç'avait toujours été son intention de faire quelque chose pour moi. »

Promesse de Gascon! Beauvais-Nangis n'obtiendra jamais rien et maudira comme tant d'autres l'avarice et l'ingratitude du maître.

Henri, cependant, mène deux politiques en apparence contradictoires. Si, à l'inverse de Louis XIV, il désire sincèrement maintenir les nobles sur leurs terres, il comprend quelle occasion s'offre à la monarchie de les neutraliser. En venant à lui, ces sujets redoutables se mettent entre ses mains.

« Quand ils arrivent à la Cour, écrit l'ambassadeur vénitien, les gentilshommes français dépensent plus en une semaine qu'ils n'ont amassé chez eux en une année.... Aussi dit-on en manière de proverbe d'un homme sans le sou qu'il a le mal français. C'est ainsi que, grands joueurs comme ils sont tous, soit aux cartes, soit aux dés, soit à la paume, ils ne se font pas crédit d'un liard les uns aux autres et ils jouent jusqu'aux armes qu'ils portent sur eux, jusqu'à leurs vêtements. J'en ai vu plus d'un par la pluie et par la neige s'en aller de la salle de jeu sans culotte, ni chemise : cela n'a rien d'extraordinaire, je l'ai vu faire à des princes.... D'ailleurs ils acceptent tout cela sans rien perdre de leur belle humeur et de leur gaieté naturelle. Aussi dit-on avec raison que trois nations prennent le temps d'une façon très différente : les Espagnols vivent avec le passé, les Italiens avec l'avenir et les Français avec le présent. »

Quand tel de ces hommes qui naguère inquiétaient le monarque se trouve ainsi réduit à l'extrémité, le Roi achète son loyalisme en lui accordant une pension. Ce système dû à l'esprit rusé du premier Bourbon demeurera jusqu'en 1789 un des rouages essentiels du régime. La pension, don pur et simple, libéralité absolument gratuite, devient la suprême espérance du petit seigneur, l'appât qui l'attire vers la servitude. Au lieu de créer des troubles, l'ancien tyranneau local « dort sur le coffre » dans l'antichambre de Sa Majesté en attendant d'être pourvu.

Malgré son économie, Henri IV consacre chaque année trois millions de livres, le cinquième de son budget, à « étourdir la grosse faim de l'avarice et de l'ambition » du patriciat.

Quand le Trésor n'y suffit pas, le Concordat lui offre une autre ressource. Depuis François Ier le souverain nomme les titulaires des évêchés et des abbayes. Depuis « ce grand roi fort libéral qui prenait plaisir à donner », selon l'expression de Brantôme, ses choix lui sont beaucoup moins dictés par la religion que par la politique. Un partage des biens lors de chaque succession ferait vite disparaître la noblesse tout entière. L'aîné gardera le fief et l'Église sera le refuge des cadets auxquels répugne l'état de soldat de fortune, c'est-à-dire sans fortune. Elle accueillera aussi les filles dont la dot en cas de mariage entamerait dangereusement le patrimoine du chef de famille.

La « feuille des bénéfices » complète ainsi « le rôle des pensions ». Henri IV nomme évêque de Metz un de ses bâtards âgé de six ans. Des femmes touchent les revenus d'un évêché comme ceux d'une ferme. Des hérétiques obtiennent ceux d'une abbaye! « Toute la paresse du royaume est pendue à la main qui distribue les rentes si largement [1]. »

Cette pratique va corrompre la noblesse. Elle la dupe également. Car, vivant dans l'ombre du maître, le châtelain, encore capable de subsister modestement chez lui, est obligé de mener un train qui absorbe ses nouveaux revenus, achève de le ruiner et le met définitivement à la merci du Prince.

Qu'on ne s'y trompe pas, cependant! Les commensaux du Béarnais contrastent autant avec les courtisans de Louis XIV qu'un aigle avec un oiseau de volière. Oisifs, tout occupés de chasse, de chevaux et de galanteries, ils restent des soldats. Si leurs manières, leur langage ont la grossièreté des camps, ils en gardent aussi la liberté. Henri IV haïrait le style de Versailles. Il vit en chef de guerre parmi ses capitaines gaillards, glorieux, besogneux, valeureux, piaffants, provocants, l'épée toujours prête à jaillir du fourreau et la main toujours tendue vers sa cassette.

***

Aussitôt la paix de Vervins signée, le Roi se hâte de licencier les corps irréguliers, fléaux des campagnes. Il réduit également sa cavalerie dans des proportions considérables et en profite pour anéantir les prétentions de certains officiers de rencontre qui avaient usurpé la qualité de gentilhomme.

En 1598 les troupes « entretenues » sont la Garde de Sa Majesté (chevau-légers, quatre compagnies de gardes du corps, cent arquebusiers, quatre régiments suisses), dix-neuf compagnies de gendarmes réparties entre les places de la frontière, les Gardes Françaises, les quatre Vieux Corps avec leur vingt enseignes, les seize enseignes corses d'Ornano et les troupes de garnison. Au total environ 30 000 fantassins

1. Gabriel Hanotaux : *op. cit.*

et 2 600 chevaux, chiffre d'ailleurs constamment variable, car les corps sont diminués ou augmentés par des levées au gré des circonstances.

L'ancien soldat oisif, dépourvu de ressources, devenu la risée et le souffre-douleur des populations qu'il terrorisait naguère est un danger public. Aussi le Roi l'encourage-t-il à se battre au service d'autrui. Le duc de Mercœur conduit cinq mille hommes en Hongrie, mais c'est surtout la guerre entre l'Espagne et les Pays-Bas qui offre un débouché aux chômeurs. Maurice d'Orange-Nassau, stathouder de Hollande, reçoit régulièrement des effectifs venus de France. Tout le monde y gagne : la Hollande, bien entendu, Henri IV, qui de la sorte affaiblit et harcèle l'Espagne, les soldats remis en activité, les jeunes nobles auxquels Maurice communique un sens de la discipline inconnu chez eux et les secrets de son art militaire.

Car il existe une école stratégique dite de Nassau fondée sur des principes rigoureux. Au contraire, le vainqueur d'Ivry, toujours empirique, préférait, préférera encore au besoin, se fier à son inspiration. Il ne néglige d'ailleurs pas dans le royaume la formation de ses futurs officiers. Le collège de La Flèche et l'Académie de M. de Pluvinel y pourvoient.

Sully, Grand Maître de l'Artillerie, conserve à l'État le monopole des poudres et de la fonte, établit pour ses canons une nouvelle échelle de six calibres. Les pièces les plus répandues sont la couleuvrine de 16, la bâtarde de 8, couramment employée en plaine, et celle de 4, précieuse en montagne.

Le même Sully, au titre de Surintendant des Finances, fixe un barème de soldes à taux élevés. Un mestre de camp ou colonel touche mensuellement 166 écus, un simple soldat 3 écus et demi, mais ce dernier reçoit rarement la somme entière.

Agrippa d'Aubigné s'est amusé à dresser la liste idéale des fournitures nécessaires à une garnison. Au chapitre des uniformes, notons quatre mille aunes de drap, trois mille paires de souliers. Enfin « pour ce que la vanité est l'élément de la guerre on aura une « quesse » (caisse) de panaches, lesquels on portera, non à l'ordinaire, mais les jours de combat ».

D'Aubigné n'oublie pas le service de santé. Une garnison de mille hommes dont six cents combattants doit, selon lui, comprendre un médecin, deux apothicaires et quatre chirurgiens. Il faut lui octroyer de grands coffres de linge usé, des « ferrements » de chirurgie et « aviser au moyen de se procurer des œufs ».

Les invalides n'ont pas d'autres ressources que la charité publique. En 1606 seulement est créée à leur intention et à celle des « veuves de guerre » une « Maison de Charité chrétienne » sise rue de Lourcine.

L'infanterie du Roi passe pour inférieure aux lansquenets et aux Suisses. En préparant sa campagne de 1610, Henri IV se conforme à l'usage et loue des troupes étrangères.

Pourtant le soldat français reste digne des éloges que prononçait Montluc lorsqu'il donnait des conseils à un jeune officier : « Mettez la main à l'œuvre le premier, votre soldat vous suivra et fera plus que vous ne voudrez.... Si vous leur montrez le chemin, il n'y a rien qu'ils ne fassent, il n'y a non plus d'incommodités qu'ils ne souffrent. Il n'y a rien qui pique tant les gens de métier que la gloire et l'envie de faire aussi bien ou mieux qu'un tel n'a fait. J'ai vu des soldats, fils de laboureurs, qui ont vécu et se sont enterrés en réputation d'être des enfants de grands seigneurs par leur valeur et le compte que les Rois et leurs lieutenants faisaient d'eux.... La gloire de l'honneur est un puissant aiguillon. »

***

Au gentilhomme de cour, Olivier de Serres oppose en 1600 l'image idéale du gentilhomme terrien. Son énorme livre [1]

1. *Le Mesnage des Champs.*

ravit le Roi auquel il est dédié et qui, pendant plusieurs mois, se le fait lire après souper.

Olivier de Serres, seigneur de Pradel en Vivarais, mène l'existence du sage dans cette médiocrité dorée chantée par Horace. Il aime la nature et le terroir, « la sérénité du ciel, la santé de l'air, le plaisant aspect de la contrée, montagnes, plaines, vallons, cousteaux, bois, vignobles, prairies, jardins, terres à blé, rivières, fontaines, ruisseaux, estangs : les beaux promenoirs et jardins, prairies et ailleurs, la contemplation des belles tapisseries des fleurs, les beaux ombrages des arbres : la joyeuse musique des oiseaux, les divers chants et langages du bestail gros et petit, louans le Créateur ».

Il recommande « que le domaine soit posé en bon et salutaire air, en terroir plaisant et fécond, pourvu de douces et saines eaux, et joint en une seule pièce carrée ou ronde ».

« Or, serez-vous bien logé... si... votre maison a belle et plaisante entrée ; porche, basse-cours, l'eau au milieu par fontaine, puits ou citerne ; galerie couverte à arceaux (c'est le cas à la Bâtie d'Urfé), cellier pour les cuves, tinnes et pressoirs ; grand lieu à tenir le bois de chauffage ; autres distincts et se joignant ensemble, à serrer huiles, fourmages, cuirs et semblables provisions de réserve requérant telle basse situation ; deux ou trois caves pour tous les vins, dont la facile descente incite le père et la mère de famille de les aller souvent visiter, comme en se promenant, pour le bien de leur mesnage. Aisée montée aux étages du logis par escalier à repos, vis ou autrement ; cuisine accompagnée de tous ses offices à savoir : charnier, boulangerie, fournil, serre-pain, serre-linge, buanderie, serre-vaisselle, garde-manger, laiterie à faire les fourmages et autres lieux pour les tenir ; une ou deux salles ; sept ou huit chambres pour toutes saisons, pour vous, vos enfans, petits et grands, nourrisses, chambrières, maistres d'école, amis survenans de diverses qualités ; chacune chambre accompagnée de garde-robe privez et cabinet, pour aucun desquels servir à garder titres, papiers, linges et meubles de réserve.... Si au faîte et sous les couvertures du logis, droictement, sur la porte principale d'iceluy, la chambre des serviteurs grande et spacieuse pour estre là comme en sentinelle, ayant l'oreille et l'œil sur la grand'court et les écuries.

« Si, près de là, sont les greniers à serrez blés, légumes, fruicts des arbres, chanvres, lins et autres matières de garde. Si, au plus haut et élevé endroit du logis sur la montée ou ailleurs, est bâtie une belle terrace, pour y sécher des fruicts et s'y recréer, voyant l'air à descouvert (digne commodité des maisons assises en lieux bas), à laquelle étant jointe la mirande (mirador) pour l'aisance d'y estendre la buée (lessive) à couvert en temps pluvieux, lors s'y promenant des yeux et servir à autres usages, ce sera pour ne défaillir aucune commodité en la maison. »

Le logis est « entièrement flanqué par tours rondes ou autres recoins et avancemens, comme viendra le mieux à propos, afin d'estre tant plus fort ; et pour mesme cause sera environné d'un large et profond fossé rempli d'eau ».

Ses annexes comprennent un poulailler, un colombier, une garenne, un verger, un jardin potager, un jardin bouquetier, un jardin médicinal. Il y a des prés, des bois, des vignes, un étang, des troupeaux, des abeilles.

L'épouse « par son industrie tient la maison remplie de tous biens », veille sur les provisions, le vin, le sucre, les confitures. Elle « conduira et instruira bien la famille ».

Pendant ce temps M. de Serres s'occupe de faire valoir ses terres. Il s'en occupe fort bien. Maître en l'art des irrigations, il bouscule les règles traditionnelles de l'agriculture, établit des assolements souples, variés, en alternant prairies artificielles et cultures de céréales. Il est le grand propagateur du mûrier si cher à Henri IV, du mûrier qu'apportèrent des compagnons de Charles VIII et que le pape avait introduit dans le Comtat Venaissin.

Olivier de Serres s'apparente à Montaigne et à La Fontaine. Lorsque les soins de son domaine le lui permettent, il orne son esprit. C'est le passe-temps qu'il conseille à ses pairs.

« Le gentilhomme ne pourra estre que bien à son aise avec un livre au poing, se promenant par ses jardins, ses prairies, ses bois, tenant l'œil sur ses gens et affaires. En mauvais temps de froidure et de pluye, estant dans la maison, se promène sous le guide de ses livres, par la terre, par la mer, par les royaumes et provinces plus lointains, ayant les cartes devant ses yeux, lui montrans à l'œil leurs situations. Dans l'histoire... remarquera les gouvernements des peuples, leurs loix, leurs polices, leurs coustumes, tant pour entendre comme le monde se gouverne, que pour faire profit des salutaires advis qu'il en pourra tirer, les appropriant à ses usages. Des bons livres, il apprendra à sagement conduire sa famille, à se comporter avec ses voisins, surtout à craindre et servir Dieu, à bien vivre, à fuir le vice, suivre la vertu qui est le chemin du Ciel, notre sûre demeure. »

Il y a encore d'autres distractions, plus profitables que les duels :

« Ce lui sera beaucoup de contentement s'il a quelque modérée connaissance des simples et herbes médicinales de la campagne : car il ne pourra sortir de sa maison sans trouver à qui parler, contemplant leurs racines, herbes, fleurs, fruits, leurs propriétés avec la louange du Créateur. De mesme, regardant au ciel, admirera l'ouvrage du Souverain, la vue du firmament, des estoiles, planètes et signes célestes, sçaura la raison des équinoxes et solstices, des éclypses, du cours du soleil et de la lune s'il a quelque connaissance de l'astrologie. La musique, le jeu du luth, de la harpe, de l'espinette et autres instrumens servent beaucoup à ce sujet. Aussi l'arithmétique, la géométrie, l'architecture, la perspective, mesme la pourtraiture, pour représenter forteresse, villes, chasteaux, paysages, dignes parties du gentilhomme, moyennant lesquelles il dessinera plans de forteresses et de maisons privées, voir par tels moyens ordonnera de ses bastiments et de ses jardins, de la disposition de ses arbres et fera autres choses de son mesnage par art avec heureuse issue. »

Henri IV cite en exemple ce philosophe bucolique qui ne demandera jamais un titre et se borne à verser 124 livres l'an à son fils parti pour Valence afin d'étudier. Sans doute Olivier de Serres n'est-il pas seul de son espèce. Plus d'un de ses pareils aime mieux se voir « le premier au village que le second à Rome » et force le respect. Mais le cas reste exceptionnel.

Bien souvent les hobereaux tyrannisent leurs vassaux. « Tantôt ils les contraignent à signer des reconnaissances contraires à la vérité... tantôt ils font prendre chez eux deniers, grains ou autres choses non dues ; à quoi les pauvres gens, de crainte d'avoir pis et d'être battus, outragés, outrés, n'osent résister, ni même en faire plainte. » Le clergé proteste parce qu'ils « obligent les paysans à bailler leurs filles en mariage à leurs serviteurs contre leur volonté » et le fameux droit du seigneur n'est pas tombé en désuétude.

Le provincial ignorant et grossier, coupé de la civilisation, deviendra vite un sujet de satire. Le père Joseph brocardera « ces bons gentilshommes qui ont restreint toute leur ambition dans l'enclos de leur basse-cour pour la loger en leur étable à vaches, dans leur écurie et dans leur grenier... qui s'abêtissent après leurs chiens, chevaux et oiseaux, qui ne savent parler que de ces bêtes qui se moqueraient d'eux si elles savaient parler [1] ».

Il y a pire : l'isolement rustique endort les vertus militaires de la race. Sous Louis XIII, beaucoup de nobles campagnards décideront « de ne pas aller à la guerre, aimant mieux qu'on les déclare roturiers [2] ».

Ainsi les fils des grands ou petits féodaux ont perdu l'occa-

1. Lettres à sa mère.
2. Duc D'AUMALE : *Histoire des Princes de Condé.*

sion de former une aristocratie politique capable de s'imposer à la Couronne sans guerres civiles ni rébellions. Ils demeurent les premiers de la nation, les plus révérés, les plus fiers, les plus craints. Mais leur décadence est déjà flagrante. De nouveaux venus attaquent leurs positions de tous côtés et méthodiquement les en débusquent. Ce sont les bourgeois.

IV

LA BOURGEOISIE

L'ARGENT ne jouissait pas en France du prestige qu'il avait su conquérir ailleurs. Des gouvernements fondés sur la ploutocratie comme ceux de Venise, de Gênes, de Florence n'y étaient pas concevables. La grande banque et ses dynasties, les emprunts, le crédit, les monts-de-piété, les lettres de change étaient nés ailleurs. Les Capétiens ignoraient les déboires des souverains d'outre-Manche contraints de capituler devant des impératifs financiers.

La révolution économique qui se développa de la fin du XVe au début du XVIe siècle eut pourtant des répercussions profondes. Alors apparurent les fortunes mobilières dans le même temps que déclinait le sentiment religieux. Les deux phénomènes pouvaient sembler étrangers l'un à l'autre. Ils allaient néanmoins engendrer une espèce nouvelle : le roturier, capable d'égaler, de dépasser en richesse le noble et le clerc, détenteurs de la fortune immobilière ; le chrétien pour lequel l'argent est le dieu suprême.

Ce bourgeois n'ambitionne pas une magnificence, d'ailleurs interdite, il ne fait pas la guerre, il fuit les plaisirs. Son bonheur vient uniquement de l'accroissement de sa fortune. Tout doit être sacrifié à cela. Un devoir austère commande l'avarice, la frugalité, la modestie, justifie les malversations. « Le ciel bleu du Moyen Age, le ciel des miniatures et des vitraux où l'homme ancien aimait à perdre son regard est désormais couvert, gris, et l'homme moderne doit chercher son rêve ailleurs, plus bas : il le trouvera dans son coffre-fort [1]. »

Au-delà d'une certaine limite la richesse ne saurait être accrue et protégée que si ses détenteurs participent à l'exercice du pouvoir. Ce pouvoir dont l'accès se trouve théoriquement fermé devant lui, le bourgeois va partir à sa conquête. Il commence dans les villes où il saute du comptoir aux fonctions municipales. De là il passe aux assemblées provinciales et générales, aux tribunaux, aux Parlements.

« La robe noire ou rouge s'étale en larges nappes qui couvrent les parquets, les prétoires et montent aux hauts bancs.... En province, tandis que le petit clan de la noblesse... est veuf des hommes mûrs qui sont à la Cour et à l'armée, la bourgeoisie nombreuse, active, turbulente, déborde dans les quartiers populeux, parade dans les cérémonies publiques, tire le chapeau des têtes, gravit orgueilleusement les degrés de l'hôtel de ville et là elle trouve dans toutes les salles des sièges fleur-delisés où elle s'assoit, d'où elle délibère, perçoit, commande au nom du Roi [2]. »

La justice et l'administration deviennent ses domaines propres comme la guerre est l'apanage de la noblesse. Les porte-parole du souverain sortent désormais de cette classe dont l'autorité augmente proportionnellement à celle du Prince lui-même.

Les guerres civiles ont mis le comble à sa prospérité. Elles « avaient accéléré le mouvement qui la poussait à l'acquisition de terres seigneuriales et à l'envahissement des fonctions publiques. Les familles nobles, décapitées souvent par la perte de leur chef ou de leur héritier présomptif... avaient été oblig-gées de vendre ou d'hypothéquer leurs fiefs à des roturiers ou d'emprunter sur gage à un intérêt qui s'élevait jusqu'à 30 pour 100. En même temps que la bourgeoisie s'installait

1. Louis-Raymond Lefèvre : Introduction au *Journal* de L'Estoile.
2. Gabriel Hanotaux : *op. cit.*

dans les châteaux délabrés de la noblesse, elle s'emparait des charges de judicature et des bénéfices ecclésiastiques autrefois réservés en grande partie aux cadets de la classe aristocratique [1] ».

Tous ces hommes en chemin vers la puissance, les distinctions, les honneurs, n'en sont pas au même point de leur ascension. Aussi forment-ils une pyramide qui va de la bourgeoisie de robe, demain noblesse de robe, aux confins de la plèbe.

A la pointe planent les membres du Parlement, dispensateurs de la justice royale. « Quoi de plus farouche, écrit Montaigne, que de voir cette marchandise en si grand crédit qu'il se fasse un quatrième état de gens maniant les procès pour le joindre aux trois anciens de l'Église, de la noblesse et du peuple ? »

C'est qu'en vérité la Cour du Parlement, installée dans le vieux palais, berceau de la monarchie, entourée d'une pompe éclatante, régie par une étiquette sourcilleuse, constitue un des plus grands corps du royaume. Non seulement elle administre la justice suprême, non seulement elle juge en appel au civil et au criminel les sentences émanant des tribunaux secondaires, mais elle possède d'énormes pouvoirs législatifs, politiques, religieux.

Les arrêts du Parlement tiennent lieu de code. Le Roi envoie au Parlement toutes ses décisions — depuis le traité de Vervins jusqu'à la reconnaissance de ses bâtards — aux fins de vérification, puis d'enregistrement et il ne s'agit pas de formalités. Souvent les magistrats se cabrent, font des remontrances. Henri IV doit négocier interminablement avant qu'ils acceptent l'Édit de Nantes et le retour des jésuites.

Parfois le Roi plaide devant ses magistrats, fait appel à leurs sentiments :

1. Fagniez : *L'Économie sociale de la France sous Henri IV.*

« Travaillez de cœur et de courage en une si bonne affaire qui est pour vous-même et pour le bien de tous ; et que tous en général et chacun en particulier me fasse connaître combien il m'aime et désire me faire service. »

Parfois il se fâche. Il dit au Parlement de Paris :

« Vous êtes mon bras droit, mais, quand la gangrène s'y met, le gauche le coupe. J'ai fait le soldat. Aujourd'hui je parle en roi et je veux être obéi. »

Et au Parlement de Bordeaux qui lui adresse des remontrances :

« Je vous répondrai en grand roi, bon soldat et grand homme d'État. Vous dites que mon peuple est foulé ? Eh ! qui le foule que vous et votre compagnie ? Oh ! la méchante compagnie !... Je vous connais, je suis Gascon comme vous ! »

Le Parlement poursuit les hérétiques, les sorciers, les blasphémateurs. Il se mêle constamment des affaires ecclésiastiques et, farouchement gallican, défend les prérogatives royales contre le pape dont il refuse à l'occasion d'enregistrer les bulles.

Le Parlement surveille le Domaine de la Couronne, les finances, les monnaies, les douanes, les corporations, l'enseignement, la police. « Il informe de tout, décide sur tout, il conseille et il dicte ; il dénoue et il tranche ; rien ne l'arrête, rien ne l'émeut. Ses membres, à la fois juges et administrateurs, inamovibles et irresponsables, finissent par se convaincre qu'ils sont les seuls et véritables représentants de la nation [1]. »

Ils représentent surtout le conservatisme le plus oppressif, le plus rétrograde, le plus hostile aux nouveautés. Naguère ils ont voulu étouffer l'imprimerie. Chaque année ils font brûler des livres, parfois avec leurs auteurs.

Dominés par le premier président que nomme le Roi, deux cents présidents à mortier et conseillers se flattent d'être

1. Gabriel Hanotaux : *op. cit.*

« l'image et le raccourci de tous les ordres du royaume ». Dans leur sillage se presse la prodigieuse armée des robins, vingt mille juges et sergents royaux, outre les avocats, procureurs, greffiers et « autres personnes illustres » qui, à en croire Noël du Fail, ne sont pas moins de trois cent mille !

Ces gens ont dû acheter leur charge ou leur office à la Couronne. François Ier avait trouvé ce moyen funeste d'alimenter régulièrement son Trésor et de prélever sur la classe riche une dîme considérable, payée de bon cœur. Henri III seul a eu le courage, la clairvoyance d'y renoncer.

Loin de l'imiter, Henri IV perfectionne l'ancien système. Suivant l'avis du conseiller Paulet, il rend héréditaire les offices de judicature, sous réserve que le titulaire versera annuellement à l'État un soixantième de la valeur de sa charge. Cette charge devient dès lors la pleine propriété de l'acquéreur qui pourra la léguer, la vendre, en trafiquer à son gré. Un certain nombre de familles obtiennent le monopole de la fonction publique.

La « Paulette » date de 1604. Elle ne cessera de soulever l'indignation, mais ne sera pas abrogée avant 1789.

Une charge de conseiller au Parlement vaut alors quelque cent mille livres à Paris, soixante mille en province ; celle de trésorier général représente trente mille livres, celle de conseiller à la Cour des aides vingt-cinq mille. L'achat implique dispense de payer la taille et les aides, de servir à l'arrière-ban de l'armée, de loger les soldats du Roi. Ainsi les robins se rangent-ils fièrement parmi les privilégiés.

Cependant, le magistrat touche des gages fort maigres. Comment peut-il amortir le capital investi, payer sa dette à la Couronne et vivre « honnêtement » ? Comment surtout amasse-t-il ces fortunes immenses qui permettent aux siens de déloger les nobles ruinés ?

Dès 1560 François Grimaudet a répondu dans son discours aux États Généraux : « Le ministère des juges, leur juridiction et distribution de justice n'est autre chose qu'une boutique où se détaillent par le menu leurs offices qu'ils ont achetés en gros. Le noble, l'homme d'Église, le roturier, le pèlerin, la veuve, l'orphelin, l'impotent, le mendiant n'auront aucune sentence soit interlocutoire ou définitive, qui ne soit taxée, prisée et payée auparavant la prononcer. »

Cet état de choses scandaleux suscite tout au plus quelques satires. Universellement accepté, il n'ébranle même pas l'énorme prestige de la robe. En vérité, le juge qui vend son arrêt n'éprouve nul trouble de conscience. Comme le noble a ses prérogatives, il possède, lui, le droit d'être vénal. Si bien que des personnages, pieux et irréprochables quant à leurs mœurs, ne reculent pas devant cette pratique.

La caste parlementaire, sortie indemne des guerres civiles où elle a bien défendu l'unité du royaume, en est à « la phase héroïque de son histoire ». Elle dépasse l'aristocratie par sa culture classique puisée aux universités, par son expérience des affaires, par la rigueur intransigeante de ses principes, par son dévouement à la chose publique. Car ces juges prévaricateurs constituent le « clergé de la loi », serviteur exemplaire de l'État dont il célèbre le culte.

La bourgeoisie de robe ignore les dépravations, la prodigalité, les folies de la noblesse. A Paris, les Molé, les Mesme, les Harlay, les Séguier, les Servin, les Damour, les Lemaistre, constamment alliés entre eux, vivent avec une dignité sévère en leurs beaux hôtels de la rue des Poitevins, de la rue Hautefeuille, de la rue Galande ou de la rue du Fouarre. Le désordre n'a aucune chance de pénétrer là. Les écus d'or qui s'amoncellent au fond des coffres ne se trahissent guère à l'extérieur. L'illustre président de Thou se rend à la messe sur une mule, sa femme en croupe.

Antithèse des extravagances aristocratiques et des frivolités ruineuses, la gravité parlementaire a pour emblèmes les sombres lainages, les simarres, les bonnets carrés, « le linge uni et la moire lisse ». Graves sont les barbes interminables, graves les regards, les discours, les gestes, le maintien.

Les épouses en robe plate, toile blanche et coiffe stricte, le trousseau de clefs à la ceinture, ont, elles aussi, quelque chose de puritain. La jeunesse s'applique de bonne heure à refréner les élans de son âge, non sans envier secrètement l'exubérance des beaux gentilshommes couverts de soie.

Tel est ce monde exclusif et redoutable, impatient de se hisser à la hauteur du patriciat, cependant que les autres éléments de la même classe s'efforcent de monter vers lui.

***

Après les parlementaires, les marchands sont les premiers par la considération, mais non par la richesse. A la faveur des troubles, des parasites ont réussi à se glisser entre les mailles du réseau social. Ce sont les spéculateurs, les financiers, les traitants qu'on nomme aussi les partisans. En peu d'années l'argent leur a permis de sauter des barrières apparemment infranchissables, de bafouer les terribles lois de la naissance. Un Sébastien Zamet, qui fut cordonnier, un Moysset, fils de tailleur, un La Varenne, ancien marmiton, sont des familiers, des confidents, des créanciers du Roi. En 1623, un de leurs confrères, Beaumarchais, fera un premier ministre de son gendre, La Vieuville.

En 1597, le Roi, dont les coffres sonnent creux, institue une chambre de justice « pour rechercher les malversations des trésoriers et autres officiers ». Les suspects sacrifient quelque douze cent mille écus, puis paralysent sans peine la curiosité de la Chambre.

Ces parvenus de basse extraction vont rapidement se perdre dans la noblesse dont ils rachètent les domaines, épousent les enfants.

Les marchands, qu'ils ont distancés de si loin après avoir

commencé au-dessous d'eux, les observent avec colère et jalousie. Car leur profession est dépourvue de gloire. En Italie, en Allemagne, en Angleterre, le commerce se voit hautement honoré : il touche au patriciat, donne la puissance. Rien de pareil chez les Français pour lesquels il n'existe de renom et de vertus que militaires. On y brocarde à tout propos le « petit bourgeois », grippe-sou, mesquin, obséquieux, trembleur, tapi en sa boutique comme au fond d'une tanière.

Aussi les marchands vivent entre eux et ne quittent guère leur quartier. Les voici sous ce costume que regretteront les personnages de Molière portant le « beau pourpoint très long et fermé comme il faut », le haut-de-chausses noir ou brun sans ornement, le bas de laine à grosse jarretière, le vaste chapeau aimé des peintres, les souliers dans lesquels « les pieds ne sont point au supplice ».

Ce sont des gens sages, prudents, pieux et rangés. Les plus opulents peuvent avoir une maison des champs à Vaugirard, à Vincennes, voire à Saint-Cloud, mais ils y vont peu. La majeure partie de leur existence s'écoule à l'abri de l'air et de la lumière en quelque rez-de-chaussée protégé d'une arcade.

Parmi ces demi-ténèbres sont cachés des trésors que le client ne verra pas du premier coup. Les habitudes du commerce ressemblent alors à celles d'un bazar oriental. On marchande, on se livre à une longue escrime verbale avant de conclure. Le boutiquier, la boutiquière sont âpres et méfiants. Sitôt le soir venu, ils se cadenassent « après avoir trompé tout le jour » et comptent la recette. Empiler, ranger les écus, les pistoles, les livres tournois, telle est la seule distraction du marchand avec les cérémonies religieuses et quelques rares parties de campagne.

Quand les piles auront atteint une hauteur suffisante, le ménage se retirera des affaires. Plus ambitieux, il tentera lui aussi l'escalade sociale, achètera une charge à son fils. Pourvu qu'il ait bien amassé, l'auneur de drap pourra nourrir l'espérance d'avoir des arrière-petits-fils gentilshommes, courtisans.

Le commerce ne compte pas moins de cent cinquante corporations. En tête viennent les drapiers, les orfèvres, les merciers, les pelletiers, les bonnetiers qui sont dignes des fonctions municipales *parce qu'ils ne travaillent pas de leurs mains.* Au-dessous, s'échelonnent les médecins, les chirurgiens, les pharmaciens, reconnaissables de loin à leur accoutrement célèbre. Suit la foule des autres métiers dont les confréries se querellent fort et entretiennent des procès perpétuels.

Nous sommes arrivés au bas de la hiérarchie, à l'étage des « viles personnes », autrement dit des industriels. Une seule prophétie serait assurée vers 1600 de rencontrer des incrédules : celle qui prédirait à cette catégorie de gens quelle prépondérance sera la sienne trois siècles plus tard.

Faire « de la mécanique », œuvrer soi-même, cela mérite une sorte d'opprobre. Les frontières de la bourgeoisie peuvent donc être considérées comme franchies lorsque surgissent des hommes incapables d'acheter une charge, donc de s'élever au-dessus de leur condition.

Car il faut en revenir là. Dans le système inexorable où la naissance fixe chacun à son rang, seule la vénalité des offices offre une issue aux ambitions sociales. Quelle famille en état de le faire ne médite pas de saisir cette chance ? Qu'un de ses fils entre au service du Roi et son destin sera bientôt transformé !

Ce rêve de la bourgeoisie française a été si continu, si obsédant qu'il a survécu aux révolutions, aux crises, aux bouleversements de tous genres. Aujourd'hui encore l'État lui doit de recruter sans peine des fonctionnaires parmi les élites et de leur allouer impunément des traitements dérisoires.

V

LE PEUPLE DES VILLES

IL N'Y A PAS dans les grandes villes des quartiers riches et des quartiers pauvres, des quartiers aristocratiques et des quartiers plébéiens. Les distances sociales sont trop immenses, trop visibles, trop admises pour qu'il soit nécessaire de les marquer géographiquement. Sur le Pont-Neuf, au Marais, rue Saint-Honoré, devant Notre-Dame, se mêlent les panaches, les soutanes, les pourpoints sévères, les robes de satin ou de futaine, les livrées et les loques.

Le petit peuple dont les horribles gîtes sont contigus aux palais et au Louvre même, le petit peuple compose ces tableaux étonnants auxquels le burin de Callot vaudra l'immortalité. Partout grouille une faune redoutable : mendiants, éclopés, spadassins, malandrins, harcelant la charité publique et guettant l'occasion d'un mauvais coup.

Voici un personnage barbu, chevelu, pouilleux, vêtu d'une extraordinaire variété de haillons : le front plissé, le corps posé de biais, il tend son chapeau, pitoyablement. Mais on ne sait quoi d'attentif et de malicieux au fond du regard trahit une misère professionnelle non dépourvue de profits [1]. Cet homme et ses pareils, sentinelles aux portes des églises durant le jour, sont, au coucher du soleil, maîtres des rues sans lumière.

Pendant les troubles, ils jouent un rôle considérable. Le

1. JEAN MICHELIN : *Portrait d'un Mendiant.* Collection Stenmann à Stockholm.

signal d'une rixe, d'une émeute, peut être donné par la mélopée grinçante d'un joueur de vielle semblable à celui dont Georges de la Tour fixera un peu plus tard l'hallucinante image [1].

« Ignoble et effroyable vérité », écrira Stendhal de cet aveugle au crâne chauve, au nez d'ivrogne, à la bouche grimaçante et déviée, vêtu d'oripeaux où se mélangent le gris, le rose, le rouge, le jaune et le noir. C'est une silhouette familière parmi celles des prostituées, des soldats en chômage, des funambules et des hommes de peine.

Ceux-ci, du moins, sont des travailleurs : débardeurs, crocheteurs, convoyeurs, porteurs de sacs et de tonneaux. Toujours inquiets de leur maigre pitance, ils attendent la pratique au seuil des échoppes, et forment des groupes inquiétants, hérissés de perches, de bâtons. Le moindre prétexte suffit à leur faire rejoindre la tourbe contre laquelle la vigilance du guet et la férocité des juges restent à peu près impuissantes.

Au fond des bouges, boivent et jouent des compagnons prêts à mettre leur poignard au service d'un jaloux, d'un homme trop lâche pour vider lui-même sa querelle, d'un héritier pressé. En vain dresse-t-on le pilori près des Halles, en vain y attache-t-on pêle-mêle banqueroutiers, faux-monnayeurs, blasphémateurs, filles publiques, « courtiers en débauche ». Les insultes de la foule en délire ni le fouet du bourreau n'intimident les mauvais garçons parmi lesquels se comptent nombre d'étudiants et de laquais.

« L'aigreur des gatte-papier est toujours de partie avec la misère des va-nu-pieds et le brigandage. » D'autres écoliers s'amusent à semer le désordre, à provoquer des bagarres. Quant aux laquais, ils répandent la terreur. Ces gaillards n'ont point devant leurs maîtres la position servile qu'on leur verra plus tard. Ils appartiennent vraiment à la maison du seigneur

1. Ce tableau conservé au musée de Nantes a été successivement attribué à Murillo, à Velasquez, à Zurbaran, avant que la critique internationale s'accordât sur le maître lorrain.

dont ils reflètent la morgue, l'insolence, la brutalité. S'ils sont traités sans douceur, souvent à coups de bâton, ils se savent en revanche assurés d'une protection inconditionnelle. Toucher à une livrée, c'est toucher à un blason. Ceux qui la portent donnent donc libre cours à leurs mauvais instincts. Au lieu de payer ses valets, le comte d'Auvergne, fils naturel de Charles IX, les envoie détrousser les passants.

Cette graine de potence entretient à travers la ville un tumulte permanent sur quoi tranche la pieuse rumeur des processions et les cris des marchands ambulants. Mille complaintes obsédantes évoquent les « cerises, douces cerises », « l'argent des manchons, manchettes et rabats », « l'argent des gâteaux et des ratons tout chauds », « la mort aux rats et aux souris », « les châtaignes boulues », « l'eau de vie pour réjouir le cœur ». A la nuit, le marchand d'oublies, tenant sa lanterne d'une main et faisant de l'autre manœuvrer sa cliquette, chante : « Oublies, oublies, où est-il ? »

La population laborieuse des villes a joué un rôle important au cours des guerres. Elle a souvent embrassé la Réforme et pris les armes. Mais ce n'était point par une haine de classe que nul ne conçoit. Les patrons, c'est-à-dire les maîtres artisans, vivent auprès de leurs ouvriers en des boutiques, en des ateliers pourvus d'un outillage vénérable.

On voit de la rue s'affairer boulangers, rôtisseurs, bouchers, forgerons, chaudronniers, menuisiers, serruriers, tisserands, selliers, tailleurs, armuriers, perruquiers, tant d'autres ! Ces pauvres gens pieux, courtois, amoureux de leur travail, parfaitement résignés à leur condition, à leurs logements insalubres, à leurs vêtements rapetassés, à leur nourriture trop frugale, ne se doutent guère que beaucoup d'entre eux méritent le nom d'artistes. De leurs mains usées surgissent naturellement des merveilles, meuble ou cuirasse, habit ou pièce montée.

Chez eux aussi la hiérarchie est rigoureuse. Au bas de l'échelle peine le jeune apprenti traité, instruit avec rudesse, mais vivant auprès du maître et des siens « au même pot, feu et chanteau ». L'apprenti peut devenir compagnon — ce qui n'est pas un degré menant à la maîtrise. Alors il court les routes, bâton en main, chanson aux lèvres. Plus sédentaire, il prépare longuement son « chef-d'œuvre » qui, sur le jugement de ses pairs, lui permettra enfin de passer maître à son tour.

Le gentilhomme verrier, contrairement à une idée trop répandue, n'est pas gentilhomme parce qu'il souffle le verre. Mais un gentilhomme peut souffler le verre sans déroger. Il existe en 1610 quarante-huit manufactures dans lesquelles des ouvriers aux gages d'un entrepreneur travaillent côte à côte. Là naissent les produits de luxe dont le Roi prohibe l'importation pour éviter un exode de l'or et de l'argent. Sauf ces exceptions, tout est fabriqué par des ateliers qu'on se transmet de père en fils. Il y a des dynasties de tanneurs, de forgerons, de charpentiers, étroitement serrés en ces rues auxquelles la corporation donne son nom.

Cependant, une importante évolution se dessine au cours du règne. Certains « maîtres » ayant acquis de véritables fortunes, créent une distance entre eux et leurs ouvriers, s'ingénient à fermer l'accès de la maîtrise et à régenter la corporation.

La corporation, lointain ancêtre de nos syndicats, avait jadis rendu de grands services, assurant aux patrons un minimum de sécurité, aux ouvriers une protection contre les exigences de l'employeur, une réglementation des heures de travail et des salaires. Puis les abus s'étaient implantés. Sous Henri III la corporation avait pris l'aspect d'une oligarchie, les patrons les plus riches entouraient la maîtrise de barrières et de droits énormes et peu à peu se transformaient en privilégiés. Aussi à côté de ces « métiers jurés » s'étaient créés nombre de métiers libres.

Henri IV, pressé de remettre de l'ordre dans le monde du travail, saisit cette occasion de pourvoir son trésor. Reprenant comme en bien d'autres occasions une idée de son prédécesseur, il promulgue en 1597 un édit qui accorde la maîtrise à tous les artisans libres sous la seule condition du serment. Mais en même temps il institue au bénéfice de la couronne un régime de la vénalité des maîtrises analogue à celui de la vénalité des charges. Dès lors, point de concurrence possible. Exercer un métier devient une sorte de privilège. Ses détenteurs répugneront moins à l'acheter qu'aujourd'hui à subir les tracasseries du fisc.

Tels admirateurs démocrates du Béarnais ont fait un contresens en le louant d'avoir « inauguré l'ère de la liberté industrielle ». Henri IV est responsable, au contraire, d'avoir paralysé les métiers libres en intégrant aux corporations ceux qui existaient et en refusant toute faveur à ceux qui se créeraient ultérieurement.

L'ouvrier est donc plus que jamais lié à sa corporation. Pour l'assistance mutuelle, la charité, les pratiques religieuses, et surtout le plaisir, il a sa confrérie. Les cotisations qu'il verse servent ensemble à secourir les nécessiteux et à organiser de formidables « frairies », banquets pantagruéliques coupés de chants et de danses où le vin échauffe parfois les esprits jusqu'à leur faire concevoir des idées séditieuses. Les confréries ont été plusieurs fois interdites par les rois, mais elles se sont toujours reformées.

Les « compagnonnages » tiennent davantage de la société secrète. Ces associations groupent les ouvriers d'un même métier soumis au pouvoir mystérieux d'un « père », d'une « mère » des compagnons. Elles ont leurs mots de passe, leurs signes de ralliements — « toper », « hurler » — leur langage, des auberges qui en chaque ville accueillent leurs membres. Elles aussi deviennent redoutables à l'occasion et creusent des sapes qui menacent l'absolutisme royal.

Les ouvriers mènent une dure vie. La nature et la politique les accablent régulièrement des pires fléaux, épidémies, famines, inondations, guerres civiles qu'ils subissent avec un stoïcisme impassible dont les sources diverses (religion, fatalisme, habitude ancestrale du malheur) sont aujourd'hui taries en France depuis longtemps. L'ouvrier ne jouit d'aucune considération ; aucun philosophe, aucun écrivain ne s'aviseraient de chanter sa louange.

En revanche, il n'est point perdu dans une masse anonyme. Il peut faire apprécier sa valeur propre, il vise au « chef-d'œuvre » et conserve, bien inestimable, sa personnalité. Le fisc ne le persécute pas et le service militaire lui reste étranger. Toutes choses qui contribuent à lui faire prendre ses maux en patience sans altérer au demeurant son esprit, sa bravoure, sa passion pour certains problèmes nationaux ou religieux, sans éteindre une petite flamme révolutionnaire qui brûle en lui de génération en génération.

Le Paris de Henri le Grand contient beaucoup d'ancêtres authentiques de Gavroche et des tricoteuses.

***

Ce Paris de cinq cent mille âmes, joyau de la Chrétienté, domaine du plaisir, n'en vit pas moins sous l'empire de la terreur. Assiégé par des hordes dont la forêt de Bondy reste le refuge préféré, il contient, selon un rapport de police, six à sept mille brigands.

La célèbre Cour des Miracles avec son gouvernement, ses mœurs et ses lois existe toujours dans les ruelles fangeuses situées aux environs de l'actuelle place du Caire. Le Roi, tout bâtisseur qu'il est, n'ose transformer ce labyrinthe immonde où les gardiens de l'ordre ne s'aventurent pas.

Nombre d'ordonnances prouvent quelle menace permanente font planer sur la capitale les hôtes de ce repaire. Ainsi il est défendu de laisser une maison inhabitée, défendu d'avoir plus d'une porte extérieure. A chaque coin de rue veille un homme, porteur d'une cloche qu'il agite au moindre danger.

Mais cela n'intimide pas les malfaiteurs. Sitôt la nuit tombée, les *guilleris*, les *plumets*, les *grisous*, les *tire-laine*, les *tire-soie* et autres *tire-chapes* entrent en campagne. Au matin, chaque quartier lamente les meurtres et les pillages dont il a été victime.

En 1605 les *barbets* font mieux, attaquent en plein jour de nombreux logis et forcent les occupants à leur payer rançon. Ils choisissent de préférence les hôtels des magistrats.

« On n'ouït parler d'autres choses que de maisons volées, écrit L'Estoile.... Chose étrange que dans la ville de Paris se commettent avec impunité des voleries et brigandages tout ainsi que dans une pleine forêt. »

Deux Espagnols ayant été pendus à la suite d'un fait de ce genre, leurs compatriotes « murmuraient fort, disant que, si pour voler on devait pendre les gens, il fallait faire pendre la moitié de la ville et qu'il fallait qu'on leur en voulût d'ailleurs ».

Et, cependant, la répression n'est pas entachée de mollesse. On pend, fût-ce pour la simple subtilisation d'une montre, on coupe des oreilles, on marque au fer rouge, on tenaille, on estrapade, on écartèle. L'édit de 1534 reste en vigueur qui inflige aux voleurs de grand chemin le supplice de la roue : « C'est à savoir les bras leur seront brisés et rompus en deux endroits, tant haut que bas avec les reins, jambes et cuisses et mis sur une roue haute, plantée et élevée, le visage contre le ciel où ils demeureront vivants pour y faire pénitence tant et si longtemps qu'il plaira à Notre Seigneur les y laisser et morts jusqu'à ce qu'il en soit ordonné par justice. »

Il y a la « chausse d'hypocras » (surtout affectée aux protestants), basse-fosse qui se termine en entonnoir et à demi-pleine de boue en laquelle le condamné ne peut être ni assis, ni couché, ni debout. Quinze jours suffisent en principe à lui faire perdre la raison.

Les Parisiens de toutes qualités se plaisent fort aux exécutions où ils se pressent. Comme au temps de Villon ils se rendent volontiers à Montfaucon [1]. Là ils festoient en admirant les fourches patibulaires, les seize piliers divisés en deux étages et réunis par les madriers d'où, accrochés à des chaînes de fer, les corps des pendus se balancent au vent.

1. Sur l'emplacement actuellement situé entre le quai de Valmy, les rues des Écluses et Grange-aux-Belles.

VI

LES PAYSANS

CETTE infinité d'hommes traînant leurs jours sous un éternel travail dont le bénéfice n'est pas pour eux, ces victimes livrées aux rigueurs des collecteurs d'impôts, aux extorsions des officiers (fonctionnaires), à l'avarice des usuriers, aux ravages des troupes en campagne, aux abus des seigneurs et des prélats, ces anonymes qui, par leur misère, leur acharnement et leur sueur, permettent la restauration du royaume, ces êtres indispensables chargés non seulement de nourrir les privilégiés, mais d'assurer leur magnificence, ces gens-là n'ont à espérer ni gratitude ni honneur.

Loin de là, ils sont moqués, méprisés. On les juge stupides, sournois, méchants, immondes ; on les compare à des animaux. Vincent de Paul, qui en est issu, les nomme des « peuplades sauvages ». En Angleterre, où leurs semblables vivent infiniment mieux, on dit : « Ce sont des bêtes. »

Une distance sidérale sépare la Cour, les gentilshommes au plumage étincelant, les bourgeois riches, cultivés, raffinés et ces masses grises qui labourent la terre de France aussi longtemps qu'une persécution trop cruelle ne les oblige pas à chercher refuge au fond des forêts. Parmi les âmes pieuses dont l'inquiétude mystique retentira à travers les siècles, parmi tant de personnages inquiets de leur salut, on ne voit s'élever aucun scrupule de conscience sur la condition dans laquelle est maintenue la population rurale. Que le fardeau entier de l'État soit imposé à ses épaules paraît absolument naturel. L'ambassadeur anglais, Carew, s'en indigne.

« C'est une maxime en France, écrit-il en 1609, que le peuple doit être abattu et découragé par les exactions et l'oppression ; car autrement il serait disposé à la révolte. En conséquence, il est à l'heure présente accablé de charges telles qu'elles lui enlèvent toute possibilité, je ne dis pas seulement de ruer ou de courir, mais même, pour ainsi dire, de marcher et de remuer sous elles. Ces charges n'ont pas été imposées par le Roi actuel, mais il les conserve sous le prétexte de payer ses dettes.... Le peuple est accablé et bâté par tant d'énormes exactions. Sa dépouille est partagée entre la noblesse de Cour, la noblesse de campagne ou les officiers de justice.... On leur laisse (aux paysans) à peine de quoi se nourrir. Leurs âmes sont basses et lâches et leurs corps recroquevillés comme ceux des nabots. »

Carew n'est pas allé au fond des choses. Si pitoyable qu'il paraisse, Jacques Bonhomme a déjà accompli de sérieux progrès vers cette possession de la terre, sa pensée de chaque jour, son obsédant souci. Malgré l'immensité des domaines ecclésiastiques, malgré les servitudes, la petite propriété existe. L'appauvrissement de la noblesse, obligée de vendre une partie de ses fiefs, l'a rapidement accrue. Le vilain, le serf de jadis, a maintes fois acheté les prés, les moulins changés par un beau muguet en velours et en dorures. Il est maître du bien qu'il a payé, il le transmettra à son fils aîné ou le partagera comme le laboureur de La Fontaine.

Dans aucun autre pays d'Europe il ne pourrait jouir d'une pareille liberté. Le changement n'est pas encore considérable. Mais quel chemin parcouru depuis la fin du Moyen Age!

Souvent, faute de pouvoir acheter, le paysan prend des terres à bail, il s'installe chez autrui en locataire, tantôt fermier, tantôt métayer, selon la province. Même alors, il fait figure de privilégié devant celui dont les bras constituent le seul bien.

Tous nourrissent la conviction intime qu'au terme d'épreuves infinies, eux ou leurs descendants achèveront la conquête du sol.

Ce sol bien-aimé, le cultivateur souffre de le travailler avec de si méchants outils — l'araire, la houe. Les méthodes sont primitives (assolement triennal). Les animaux paissent dans des conditions difficiles. Aussi, dès qu'un domaine est soulagé de sa récolte, il doit recevoir les troupeaux du voisin. « Lorsque les fruits de la terre sont enlevés, la terre, par une espèce de droit des gens, devient commune à tout le monde. » Cette règle subsistera encore sous Louis XVI.

Sur le caractère du paysan Carew se trompe lourdement. Ce qu'il nomme lâcheté, bassesse est, sous le masque de la passivité, patience, courage, abnégation, confiance indestructible en des temps meilleurs. Ni le sergent du Roi, ni le chef de bandes ne vient à bout d'une ténacité presque surhumaine.

La lutte ne cesse jamais pour tromper le fisc dévorant, échapper au pillard. La nuit, entre deux razzias, Jacques Bonhomme va labourer, mystérieusement. S'il le faut, il attache à la charrue, sa femme, ses enfants (dès l'âge de dix ans !) ; il s'y attelle en personne, « tout habillé de toile comme un moulin à vent ». Il souffre, il ahane, il fuit souvent ainsi qu'un gibier. Le reître le distingue à peine du loup, du chien sauvage. Mais que, soudain, brille l'arc-en-ciel, que le destin, l'État, la guerre lui accordent un moment de répit, le Bonhomme se redresse, retrouve une belle humeur intacte et de sa paillasse pourrie sort les écus qui le rendront propriétaire à la barbe de ses persécuteurs.

C'est l'espèce de miracle de l'année 1598, quand Sully exalte labourage et pâturage, mamelles de la France, quand le Roi, comprenant la nécessité de recréer une matière imposable pour éteindre son passif, décide de laisser « reprendre haleine » aux populations des campagnes.

Ces « taillables et corvéables » qui, sous les règnes suivants, vont exalter la première décade du XVIIe siècle à l'égal d'un âge d'or, il n'est pas facile de nous en former une idée bien nette. L'imagination même hésite devant ces millions d'êtres isolés par leur ignorance, le mépris où ils sont tenus, leur quasi-impossibilité de circuler, leur crainte d'une société hostile. Quelles notions possèdent-ils de leur patrie, de la politique, des guerres dont ils souffrent, des castes qu'ils nourrissent, de la religion, parfois mêlée de superstitions païennes, qui leur inspire la « foi du charbonnier » ?

Les femmes peuvent encore se reconnaître en la mère de François Villon :

> Femme, je suis povrette et ancienne,
> Ne rien ne scay; oncques lettres ne lus;
> Au moustier vois, dont je suis paroisienne
> Paradis peincts où sont harpes et luths
> Et ung enfer où damnez sont boullus :
> L'ung me faict paour, l'autre joie et liesse.

Durant l'hiver certains parents envoient leurs enfants vers un prêtre généralement ignare (Richelieu, alors évêque de Luçon, s'en indigne) qui leur apprendra quelques prières et le rudiment du catéchisme.

Dans un monde où va s'épanouir une des plus illustres civilisations de l'histoire tout le reste leur demeure étranger.

Leur corps n'est pas mieux soigné que leur esprit. Les « remèdes de bonne femme », les simples, les recettes des rebouteux, les « diableries », sont leurs seules armes contre les maladies, les épidémies si fréquentes. On les voit mourir en masse, bien souvent sans avoir connu la vieillesse ; leurs travaux, leur détestable hygiène les rendent difformes, repoussants. Mais la race est vigoureuse et assure à la France une population considérable par rapport à celle des autres pays.

Les paysans habitent des chaumières, tantôt dépourvues de

fenêtres et faites de torchis, de chaume, de boue séchée ; tantôt capables de braver les siècles. Le chauffage, l'éclairage n'ont guère varié depuis un millénaire. La saleté choque, même en ce siècle puant. Beaucoup de familles vivent pêle-mêle avec leurs bêtes. Au demeurant, une épargne acharnée permettrait-elle un peu de bien-être, que la peur d'alerter les sergents empêcherait de céder à la tentation.

Le pain de seigle cuit pour trois semaines constitue la base de la nourriture. La pomme de terre reste à découvrir. Quant à la viande, celle du porc seule est savourée en des occasions solennelles : mariages, baptêmes.

Les inventaires des successions sont plus brefs en certaines régions que dans d'autres. Parfois on y découvre un mobilier, un grand lit rendu moelleux par les plumes de la volaille, du linge, des hardes, de la vaisselle. Tantôt s'y révèle l'absence pathétique des objets de première nécessité.

Tel se présente le cadre d'une existence tout entière réglée sur la longueur du jour, soumise ensemble au despotisme de la nature et à celle du chef de famille. Le père, maître absolu, n'est pas servi moins dévotieusement que le Roi en son Louvre. La femme, qui subit le poids des maternités et des soins domestiques, n'échappe pour autant ni aux violences ni à des travaux écrasants. Les enfants secondent le laboureur dès le premier âge.

Sans doute les conditions varient : celles d'un Normand et d'un Provençal peuvent différer autant qu'aujourd'hui celles d'un Anglais et d'un Balkanique.

Les tableaux des frères Le Nain nous fournissent un témoignage incomparable sur les campagnes du Nord-Est pendant les années 1641-1647. « L'âge d'or » à cette époque est déjà loin. Mais, comme il s'agit d'un des rares territoires où la misère n'ait point provoqué de révoltes pendant le règne de Louis XIII, il est permis de penser que les modèles des Le Nain ressemblent fort aux sujets du Vert Galant.

Rien de commun entre les « fantômes » dont parle une supplique et les personnages graves, sévères, aux figures creusées, qui ne s'attendent pas à remplacer un jour aux murs du Louvre les effigies des rois et des princes! Une majesté rude, impérieuse étonne d'abord chez ces déshérités. Que ce soit dans le *Repas de Paysans*, la *Famille de Paysans*, le *Bénédicité*, le *Retour du Baptême*, Louis Le Nain se plaît à montrer le maître du logis levant son verre, coupant le pain, gestes dont le sens auguste a la même portée sous les voûtes du château et sous les poutres plébéiennes. Le chef de famille placé au centre du *Repas de Paysans* observe le maintien d'un seigneur comme le vieillard à moustache et barbiche grises, dressé droit, presque hiératique en sa superbe guenilleuse *(Paysans devant leur maison)*.

Les vieilles gardent une puissante dignité matriarcale, soit qu'elles contemplent leur postérité d'un regard fier, à peine attendri *(Le Retour du Baptême)* ; soit que leur visage raviné, labouré, usé reflète étonnamment une résolution sereine *(Le Bénédicité) ;* soit encore que la coiffe donne un caractère quasi religieux à leur poignante résignation *(Famille de Paysans)*.

Les jeunes femmes apparaissent robustes, sérieuses, modestes, parfois naïves et respirant la santé, parfois singulièrement armées de ruse et d'endurance.

La beauté, la prospérité des enfants démentent les observateurs qui discernent en de telles œuvres un appel à la commisération. Est-il rien de si délicieux que le bambin aux belles joues, aux boucles folles occupé à jouer de la flûte parmi les siens attentifs *(Famille de Paysans)* ? La même grâce pare le petit garçon debout, le chapeau à la main derrière son aïeule *(Le Retour du Baptême)* et l'adolescent accordant son violon pour charmer le *Repas de Paysans.*

En vérité, les gens capables de goûter si naturellement une distraction de ce genre ne sont pas des animaux nourris d'écorce.

Leurs vêtements font pitié, beaucoup de pieds n'ont point de chaussures, mais il faut se rappeler une fois encore que le paysan, taxable selon « les signes extérieurs », prend soin de se donner un aspect décourageant. D'ailleurs, le vin sort gaiement du pichet et nul ne semble souffrir de la faim.

Il existe donc des exceptions à cette misère sur laquelle s'appesantit Michelin en peignant les haillons de ses modèles aux visages lugubres, sinon émaciés *(La Charrette du Boulanger)*. L'œuvre des frères Le Nain nous réserve d'autres surprises. *Le Cortège du Bélier* de Louis, *La Fête du Vin* de Mathieu, nous montrent chacun la célébration d'un vieux rite qui sent le paganisme à plein nez. Ces tableaux offrent aussi l'exemple d'une surprenante fraternisation de classes.

Deux paysans entraînent le bélier, le premier couronné de feuilles de vignes, le second brandissant un verre de vin. Trois hommes suivent joyeusement. L'avant-garde est formée d'un aveugle joueur de vielle guidé par un gamin, et cet aveugle porte des habits de gentilhomme.

Dans *La Fête du Vin*, deux autres gentilshommes avec rubans et manchettes, verre en main, pampres au front, accompagnent les paysans occupés suivant la tradition antique à mener le taureau, royalement orné d'un harnachement de velours et de fleurs.

Il faut s'arrêter aussi sur cette dame qui reçoit une rose de son jardinier (*Le Jardinier*, de Mathieu Le Nain). La scène se passe parmi les ustensiles du brave homme chez lequel la châtelaine est venue soit se reposer, soit donner des ordres en compagnie de la petite fille qui coule vers elle un regard espiègle. La maîtresse de céans s'interrompt de balayer. Toutes les attitudes sont parfaites. L'aimable dignité de la dame répond à l'hommage que le serviteur nuance de familiarité respectueuse. Entre les manants et les personnes à sang bleu peuvent donc naître des rapports humains et même affables.

En fait, la ferme s'appuie fréquemment au flanc du château.

Jusqu'à cinq cents livres de revenu — ce qui signifie une honnête aisance — le maître prend ses repas à la cuisine, près de ses gens. Au-delà, le contact est rompu.

* * *

En 1598, Jacques Bonhomme ne craint plus de reconnaître en chaque cavalier un brigand prêt à saccager son champ, à brûler sa maison. Il sait que le Roi tout-puissant est résolu à le protéger. Pendant la guerre civile Henri IV concluait des trêves à seule fin de permettre les travaux des champs. Il s'applique maintenant à « changer la tanière de serpent en ruche d'abeille [1] ». Entre 1597 et 1609 la taille passe de vingt à quatorze millions.

Il y a une vieille lutte pour les forêts où le laboureur prétend conquérir des terres arables, le gentilhomme protéger le gibier de ses chasses. Henri, Nemrod passionné, promulgue des édits destinés à la conservation des bois. En revanche, il ordonne l'assèchement de marais immenses, vrais royaumes de la fièvre qui empestent le Poitou, l'Aunis, la Gascogne. Le paysan, écrit au Roi Olivier de Serres, « demeure en sécurité sous son figuier, cultivant sa terre comme à vos pieds, à l'abri de Votre Majesté ». Le Bonhomme a même ouï dire que ce grand prince se soucie d'améliorer son existence et singulièrement son ordinaire. « *Mettre la poule au pot tous les dimanches !* » Henri IV a-t-il prononcé de telles paroles ? Il ne le semble pas, mais la renommée les lui a prêtées et les reprendra souvent lorsqu'on pleurera sa perte. Pourtant la poule au pot ne deviendra légendaire que plus tard, bien plus tard, sous la Restauration, quand les Bourbons, écartant les souvenirs de Louis XIV, s'accrocheront à la gloire du « Moïse de leur race [2] ».

Si le manant de 1610 ne savoure pas la célèbre volaille, son

1. Hardouin de Péréfixe : *Histoire de Henry le Grand.*
2. Saint-Simon : *Mémoires.*

espérance séculaire a reçu une impulsion qui ne sera jamais oubliée. Il n'est pas surprenant de le voir sous le pinceau de Louis Le Nain si grave, si lent, si tranquille, même devant les flammes d'une forge évocatrice de violence et de vacarme.

Jacques Bonhomme s'apparente aux arbres, aux rochers. Les orages passent, les siècles passent, lui demeure. Il attend. Fort d'une extraordinaire confiance, il sait qu'un jour cette glèbe tyrannique et tant aimée lui réservera tous ses dons.

VII

LE MONDE PROTESTANT

En 1588 l'évêque du Mans avait manqué d'être écharpé par ses ouailles auxquelles il expliquait que, si l'hérésie était haïssable, les hérétiques devaient être « aimés et ramenés ». Les protestants n'auraient pas souffert davantage une manifestation libérale à l'égard du Saint-Siège, ordinairement désigné chez eux comme le Mystère d'Iniquité, la Bête Romaine, le Théâtre de l'Antéchrist, la Honte de Babylone.

Depuis 1598 l'Édit de Nantes a rétabli la paix religieuse sans affaiblir le moins du monde cet antagonisme. Il ne faut pas oublier qu'aux yeux des masses la foi représente encore une valeur très supérieure à la notion de patrie. Chaque communauté regarde l'autre avec l'horreur que pourrait inspirer aujourd'hui l'ennemi héréditaire occupant une partie du territoire national. Et plus encore, puisqu'il s'agit de l'ennemi de Dieu.

Au demeurant, les divergences théologiques ne sont pas seules à entretenir la méfiance et la haine. Les réformés de France constituent un *parti militant* dont l'idéologie va directement à l'encontre des principes sur lesquels se fonde la monarchie restaurée.

Soucieuses de prévenir le retour des temps maudits, l'élite intellectuelle et la majorité des catholiques veulent une royauté autoritaire sinon absolue, un État centralisé, la soumission de tous les sujets au Prince de droit divin.

Or les protestants sont des individualistes organisés dans le cadre d'une véritable république aristocratique que, vers 1573, leurs docteurs avaient rêvé d'étendre à la France entière. Sous Louis XIII le duc de Rohan reprendra ce projet « minuté à la hollandaise » pour les provinces du Sud-Ouest.

Les protestants ont un « génie délibératif ». Ils aiment les assemblées, les controverses, les débats politiques. S'ils souhaitent eux aussi prévenir le retour du passé, ils n'imaginent pas de le faire en se prêtant à une fusion. Leurs souvenirs sont trop cuisants. Les catholiques, sauf une fraction d'exaltés et d'irréductibles, acceptent les vues du Roi qui prétend assurer la paix intérieure par l'unité : les réformés songent surtout à décourager une agression ; ils pensent que la meilleure manière d'y parvenir est d'avoir les moyens non seulement de se défendre, mais d'attaquer.

Henri IV voudrait éteindre la guerre civile au cœur des Français comme il l'a éteinte en leur pays. Ses anciens coreligionnaires ne cessent au contraire de la prévoir.

Le recensement de 1598 évalue cette puissante minorité à 1 250 000 personnes réparties entre 2 500 maisons nobles et 272 000 familles roturières, soit au douzième environ de la population du royaume [1]. Il existe 950 églises dont 256 oratoires seigneuriaux (en 1561 Coligny en avait dénombré 2 150).

La carte des « places de sûreté » protestantes après l'Édit de Nantes [2] résulte surtout des ultimes opérations militaires. Ainsi la Normandie où se trouvent près de cent églises réserve seulement quatre refuges aux disciples de Calvin. Les indications fournies par ce chapelet zigzaguant de forteresses n'en sont pas moins précieuses pour établir une géographie de la Réforme au début du XVIIe siècle.

1. En 1639 il y aura un protestant sur dix Français.
2. Cf. LÉON ANQUEZ : *Histoire des Assemblées politiques des Réformés en France.*

Rien n'apparaît au-dessus d'une ligne que tracent quatre places « particulières », c'est-à-dire seigneuriales : Sedan, Clermont-sur-Oise, Valogne, Carentan. A l'ouest, Domfront et La Ferté-Vidame émergent seules. Farouchement catholique est la région parisienne que surveillent comme des sentinelles Mantes, Houdan, Dourdan, Essonnes, Rosoy. En Bretagne, les postes avancés de la Réforme se situent chez les Rohan, à Josselin, à Pontivy, à Vitré, à Chatillon-en-Vendelais.

La Loire atteinte, le corps de bataille succède aux avant-gardes : dix grosses places de Montcenis à Vezins, de Château-Renard à Saumur, citadelle du « pape des huguenots », Duplessis-Mornay ; sept non moins importantes en Poitou ; cinq en Aunis et Saintonge, outre La Rochelle, petite république pratiquement autonome. Et voici le Midi : dix-sept places en Basse-Guyenne, huit en Béarn, trente en Haute-Guyenne et dans le Haut-Languedoc, vingt dans le Bas-Languedoc et les Cévennes, douze en Provence et Dauphiné.

On voit quelle force les calvinistes tirent de cette répartition. Tout-puissants en certaines régions, ils sont en mesure de troubler la plupart des autres. Un large accès à la mer leur permettrait, le cas échéant, de recevoir des secours anglais, hollandais. Une nouvelle Saint-Barthélemy ne serait pas réalisable.

Mais hélas! cette situation est loin de faire oublier les « matines parisiennes » d'exécrable mémoire. Les protestants y trouvent une justification au séparatisme latent que le prestige du vainqueur d'Ivry ne jugulera pas toujours. Et les ultra-catholiques croient devoir se protéger contre un désir de revanche dont ils ne doutent pas. Ravaillac sera persuadé que le massacre de ses frères avait été fixé à la Noël 1609.

Socialement une certaine évolution se remarque depuis le règne de Henri II. Le peuple des villes a fourni à la Réforme le gros de ses premiers fidèles. Des étudiants aux ouvriers, son infanterie reste longtemps citadine. Puis la campagne se laisse gagner, tandis qu'un reflux se produit à Paris et dans les principaux centres. A la fin du XVIe siècle on voit les différentes familles du tiers état représentées chez les huguenots à peu près selon leur importance respective au sein de la nation.

Il n'en va de même ni pour la noblesse, ni pour la puissance, ni pour la fortune.

Les adhésions des gentilshommes se sont multipliées à partir de 1550.

« Il y a tant de noblesse que j'ai peur d'y penser! » s'écrie le duc de Guise dix ans après.

Le mouvement inverse commence vers 1590, avec les abjurations spectaculaires d'un fils cadet et d'une nièce de Coligny. Le jeune Condé et sa mère reçoivent à leur tour le baptême. Quand disparaît la sœur du Roi, Catherine de Bourbon, duchesse de Bar (1604), la « religion » ne conserve plus aucun prince.

Elle conserve en revanche beaucoup de Grands : les Rohan, les La Trémoille, les Bouillon, les Châtillon, les La Force, les Béthune, les Lesdiguières, les La Rochefoucauld-Roye, les Duplessis-Mornay. Grâce à ces seigneurs, elle occupe à la Cour une place considérable, contrôle plusieurs provinces et une partie des armées. La Force gouverne la Navarre, Sully le Poitou, Lesdiguières le Dauphiné. Rohan sera mis à la tête des troupes chargées d'ouvrir la campagne de 1610.

Ces protestants ne se signalent pas moins au gouvernement et dans l'entourage du souverain. Protestant est le duc de Sully, véritable premier ministre ; protestants les frères Arnaud, l'un intendant des Finances, l'autre trésorier des Ponts et Chaussées : protestants Barthélemy de Laffemas, contrôleur général du Commerce, Antoine de Loménie, secrétaire du Cabinet, Pierre de Beringhen, premier valet de Chambre, Ailleboust et Héroard, médecins de Sa Majesté ; protestants l'architecte royal Androuet du Cerceau, son fils

Baptiste, son neveu Salomon de Brosse ; protestant Beoiceau de la Barauderie, le Lenôtre de Henri IV.

Le Roi dit :

« Je me fie plus en eux pour ce qui est de ma bouche et de ma personne qu'en tous ceux de ma (nouvelle) religion. »

Les huguenots, en général, sont loin d'être pauvres. Ils comptent beaucoup de financiers et de commerçants. Au moment où « l'amour de l'argent, jusqu'alors péché individuel, est devenu vertu de classe [1] », Calvin lui a donné la caution suprême.

Il a réfuté la thèse des Pères de l'Église selon lesquels « c'est une grande vertu d'appéter une pauvreté volontaire », attesté « que ce que chacun possède ne lui est point advenu par cas fortuit, mais par la distribution de Celui qui est le souverain Maître et Seigneur de tout » et que « c'est une grâce spéciale de Dieu quand il nous vient en l'entendement d'élire ce qui nous est profitable ». Il a autorisé la perception d'intérêts considérée jadis comme une souillure réservée aux juifs. Ses successeurs ont reconnu dans les métiers temporels des vocations divines.

Karl Marx croyait la Réforme fille de l'économie capitaliste. D'autres ont soutenu qu'elle en était la mère. Sans prendre part à cette controverse épineuse il y a lieu de remarquer combien les réformés ont su s'adapter à la nouvelle éthique née sur les ruines du Moyen Age.

Riche, puissante, altière et néanmoins inquiète, menacée, encore saignante de mille blessures, telle se présente donc la minorité protestante après la signature de cet Édit de Nantes, si admiré depuis et qui soulève chez les hommes de 1598 tant d'indignations furieuses.

C'est en vérité un acte étrange que ce traité conclu par le souverain avec un parti en armes dont il a été longtemps le

1. R.-L. LEFÈVRE : *op. cit.*

chef. Peu de conjonctures historiques sont apparues aux contemporains sous un aspect aussi extravagant.

Il n'est pas question d'établir un parallèle entre la Réforme et le communisme [1]. Imaginons simplement après une longue guerre civile, le secrétaire général du P. C. mis à la tête d'un gouvernement bourgeois et faisant accepter leur défaite à ses anciens amis en échange de concessions énormes. Imaginons qu'une de ces concessions soit le paiement par le Trésor public d'une armée entièrement soumise au parti communiste. La stupeur et la confusion ne seraient pas plus grandes qu'elles ne le furent.

L'Édit de Nantes avec ses quatre-vingt-quinze articles publics et ses cinquante-six articles secrets concède à un groupe de Français assez de privilèges pour leur permettre de constituer un corps indépendant. Si les clauses concernant la liberté de conscience et la liberté du culte peuvent paraître assez restrictives à un esprit du XXe siècle, en revanche pas un État moderne ne ferait bénéficier tels de ses ressortissants d'avantages comparables à ceux des sujets calvinistes de Henri IV : tribunaux particuliers, droit de se réunir en colloques ou en assemblées, institutions politiques qui d'avance fournissent les cadres à une rébellion, cent cinquante places fortes commandant la moitié du territoire, enfin ces fameuses garnisons dont l'entretien coûte chaque année au Roi 180 000 écus.

Trois mille cinq cents nobles restent d'autre part en mesure de lever une armée de vingt-cinq mille huguenots contre la Couronne. Sur ce nombre il n'y en a pas deux cents qui soient capables de se sacrifier à leur foi.

Il s'agit bien d'un État dans l'État, un État amer, processif, tumultueux, bien pourvu d'alliances étrangères et toujours prêt à y faire appel. Les vieillards composent la légende des temps héroïques, une jeunesse que représente le duc de Rohan

1. La comparaison n'est faite qu'en raison des effectifs du parti communiste, seuls proportionnés à ceux des protestants sous Henri IV.

se plaint de la paix boiteuse, d'une condition médiocre.

Une polémique acerbe règne en permanence. Les ministres réformés n'ont pas plus de retenue que les prédicateurs catholiques. Henri IV doit constamment intervenir, doser la persuasion et la menace. Il convoque à Fontainebleau un pasteur trop ardent, M. Chamier, auquel il prêche la modération, le loyalisme.

« N'est-il pas étonnant, écrit l'ambassadeur vénitien, que ce Roi, qui est le plus puissant peut-être entre les princes chrétiens, en soit réduit à compter et à temporiser avec ses propres sujets... et que ses propres sujets lui soient plus redoutables que les ennemis déclarés des autres nations ? »

Tels sont les fruits détestables du fanatisme et de la persécution. Nul ne peut prier à son gré sans la protection d'un appareil politique et militaire. Combien d'ambitieux se serviront de cette nécessité à des fins auxquelles le dogme sera bien étranger ! Rien n'est si douloureux que de voir la religion opposée à l'État par des intérêts purement terrestres.

Saint-Simon flétrira en termes immortels la révocation de l'Édit de Nantes. Cela ne l'empêchera pas de s'insurger lorsque le Régent voudra rappeler les protestants.

« Je lui fis sentir ce que c'était dans les temps les moins tumultueux et les plus supportables que des sujets qui, en changeant de religion, se donnaient le droit de ne l'être qu'en partie, d'avoir des places de sûreté, des garnisons, des troupes, des subsides, un gouvernement particulier, organisé, républicain..., une société de laquelle tous ses membres dépendaient, des chefs élus par eux, des correspondances étrangères, des députés à la Cour sous la protection du droit des gens... qui ne dépendaient du souverain que pour la forme et autant ou si peu que bon leur semblait ; toujours en plaintes et prêts à reprendre les armes et les reprenant toujours très dangereusement pour l'État. »

L'Édit va suspendre la lutte pendant vingt-trois ans. Les

protestants en profitent pour organiser leur existence dans une paix qu'ils n'avaient encore jamais connue.

* * *

Il a été stipulé que le culte hérétique ne pourrait être célébré à moins de quatre lieues de Paris et ne devrait point profaner les résidences royales. La petite ville d'Ablon, au nord de Juvisy, a l'honneur d'abriter le temple réservé aux protestants de la capitale.

Le terrain appartient à un avocat, M. de Rucquidort ; sur le style du sanctuaire nous ne savons rien. Ses dimensions lui permettent d'accueillir jusqu'à deux mille personnes. Quatre mille fidèles s'y entasseront le jour de Noël 1604. Les bancs de frêne, épais de deux pouces, larges de onze, ont été dessinés par M. du Cerceau.

Un poème chante les *Louanges d'Ablon :*

> Heureux deux et trois fois Ablon, que tu es noble
> D'ouïr de Christ la voix en ton petit vignoble!

Cependant, les réformés se plaignent de la longue et difficile expédition qu'il leur faut accomplir avant d'atteindre la maison du Seigneur. En 1606, jugeant nécessaire de leur accorder une faveur après toutes celles dont viennent de bénéficier les jésuites, Henri IV leur permet d'élever un temple à Charenton.

Tempête chez les catholiques. La zone de sécurité n'est pas respectée, l'hérésie menace d'infecter la capitale!

« Eh bien! dit le Roi, Charenton sera désormais à quatre lieues de Paris. »

Et il fait dresser des potences pour ceux qui ne voudraient pas souscrire à cette géographie nouvelle.

M. de Maupeou achète aussitôt un terrain au bord de la Marne. C'est l'emplacement actuel de la mairie. Le pasteur du Moulin déclare :

« Les temples que Dieu aime, ce ne sont point ces temples superbes dont les voûtes haut relevées retentissent,... dont le pavé reluit de marbres de diverses couleurs et les murailles de dorures et d'images.... C'est là où volontiers se nichent des diables.... La vérité n'est point attachée à des pierres et ne demande pas un grand lustre extérieur. »

L'édifice se ressent de cette austérité. « C'est une méchante bâtisse à un étage, écrira un voyageur allemand, haute d'environ huit aunes, recouverte au lieu de voûte d'un simple plafond de poutres. L'intérieur est revêtu tout à l'entour d'une large galerie garnie de chaises et de bancs d'où l'on peut voir en bas. »

Trois mille fidèles y accourront le jour de l'inauguration.

Pour être plus accessible qu'Ablon, Charenton n'en impose pas moins aux Parisiens « de la religion » un voyage fort incommode, surtout en hiver. La route de terre longe la Seine par la Rapée, Bercy, les Carrières. Dès la première gelée, elle devient impraticable. Le duc de La Force écrit à sa femme : « Je pensais aller faire la Cène à Charenton demain avec nos enfants : nous avons été contraints de remettre à l'autre dimanche comme ont fait la plupart à cause du verglas. »

La route fluviale paraît en général meilleure mais comporte, elle aussi, ses dangers.

Le 13 août 1608, l'helléniste Casaubon part de grand matin. Bien qu'il soit à peine sept heures, il trouve seulement un petit bateau en assez mauvais état. Après un moment d'hésitation la piété l'emporte. Voilà M. et Mme Casaubon embarqués sur ce fragile esquif. Mme Casaubon ouvre aussitôt son livre de Psaumes, un livre reçu de son mari en présent de noces et dont elle use depuis vingt-deux ans.

Le couple chante le psaume XCI. Il a commencé le psaume XCII et attaqué le septième verset quand le « batelet » heurte une grosse barque et coule aussitôt. « Je vis ma femme, écrit l'helléniste, la moitié du corps dans le bateau, l'autre moitié dans la Seine. Je lui tendis la main. Rassemblant toutes mes forces physiques et morales, je parvins avec l'aide de Dieu à la soulever assez pour que ceux de la grande barque puissent la saisir.... Ils me recueillirent aussi et nous en avons été quittes pour une petite dépense d'argent.... »

Hélas ! le précieux livre de Psaumes est noyé. En revanche on peut sauver un Nouveau Testament rédigé en grec.

Les rescapés auront le temps d'assister au second service. « On chantait le psaume LXXXIXe, poursuit M. Casaubon, et je tombai d'abord sur ces deux vers :

> Tirant ma vie du bord
> Du bas tombeau de la mort.

Pouvait-il se trouver rien de mieux adapté à la circonstance ? »

La sépulture des protestants parisiens a posé des problèmes aussi redoutables que leurs maisons de prières. L'Édit de Nantes leur concède le cimetière de la Trinité, près la rue Saint-Denis, et le cimetière Saint-Germain, situé dans le voisinage de l'actuelle rue des Saints-Pères. Tous deux sont proches des voiries où l'on jette les cadavres exclus des lieux bénits, ceux notamment des lépreux et des pestiférés.

Les « parpaillots » ne peuvent être ensevelis à la lumière du jour. L'octroi d'une demi-heure de latitude après le lever et avant le coucher du soleil est une faveur scandaleuse aux yeux des bons catholiques. La manière dont L'Estoile parle de ces enterrements montre à quel point les rites de l'hérésie paraissent encore singuliers, sinon fantastiques.

L'austérité calviniste ne se dément pas, bien entendu, au jardin des morts. Aussi, la tombe du jeune Arnaud, trésorier des Finances, emporté à vingt-neuf ans, provoque-t-elle autant d'émotion chez les protestants que de sarcasmes chez les catholiques. Il s'agit d'un monument de marbre noir estimé à deux cents écus.

Les réformés ne sauraient tolérer cette ostentation posthume.

On trouve un matin le mausolée entièrement recouvert de plâtre.

***

De son réveil jusqu'au coucher le protestant français ne cesse guère de songer à Dieu.

Sitôt qu'il ouvre les yeux il prononce une courte prière. Puis il prend part au « culte de famille » avec sa femme, ses enfants et ses serviteurs : prière, lecture de la Bible, chant d'un psaume, lecture ou improvisation d'une prière collective, oraison, bénédiction. Il prie au moment de se livrer à ses occupations ordinaires, il prie quand il a terminé. Le bénédicité précède les repas. A midi a lieu de nouveau le culte de famille, suivi le soir du culte domestique, plus tard du culte personnel, enfin de la courte prière qui sanctifiera le sommeil. Et tout cela ne dispense pas d'assister aux différents offices célébrés dans le temple où les prédications sont fréquentes.

La Bible influence le comportement général, la tenue de la maison, le choix des prénoms. Guillaume de Reboul, ancien huguenot nîmois converti au catholicisme, moque cette dernière habitude en décrivant un intérieur pastoral :

« Ma mère, je veux du pain, ce disait Néhémie. — Mon père, ce disait Abraham, mon frère Jacob a pissé au lit. — Aïe! Aïe!, ce disait Tamar, ma sœur Rachel m'a donné un soufflet! — Et la petite Déborah qui pleurait en son berceau : gna, gna, gnan! »

Nous possédons des renseignements très exacts sur le mode d'existence des pasteurs qui, entièrement dépendants des consistoires avant l'Édit, bénéficient ensuite d'une situation légale, assez enviable. Ils sont devenus fonctionnaires. Aussi nombre de familles riches poussent maintenant leurs fils dans cette voie et donnent volontiers leurs filles à des ministres.

Le pasteur reçoit un traitement garanti par son Église, payé par la Couronne. Il est en outre logé, parfois chauffé. L'Église paie ses impôts et le prix de son cheval, s'il doit en acheter un. En revanche point de revenus en nature, ni de casuel. Les actes pastoraux sont gratuits.

Le traitement varie selon la personne et la ville : six cents livres en Orléanais, quatre cents à Sedan. C'est fort convenable : une famille de six personnes dépense environ trois cent cinquante livres.

Le jeune Pierre de Ricourt n'en perçoit que trois cents à Rochechouart. Mais, outre la gratuité de son loyer (quatre écus), il a la jouissance d'un mobilier : « quatre coffres, un chaslit non attaché, une chaise, une petite armoire, une table et ses traicteaux, un escabeau, deux barriques, deux landiers (chenets), deux broches en fer, une autre table, un dressoir, un poêlon, un garde-manger, une barre-dossier, un ancien petit banc, trois petits pots en fer usés », une batterie de cuisine. L'ensemble est destiné à garnir deux chambres.

Le pasteur a les cheveux longs, la barbe taillée en fer à cheval, à la huguenote. Il porte des habits invariablement noirs, un chapeau de feutre à large bord, un rabat s'il est en soutane, un col empesé s'il adopte le vêtement de ville. On ne lui voit des armes qu'en voyage.

Cette toilette coûte cher : de quatre-vingt-cinq à cent vingt-cinq livres. Le prix d'une seule chemise s'élève à quatre livres.

Train de vie en général modeste. L'épouse de M. Ferrier « qui ne sait pas l'orthographe, mais qui a bon cœur » se félicite de posséder un peu de faïence.

La suscription d'une missive destinée à un pasteur, portera, précédant le nom propre, les lettres F. M. D. S. E., Fidèle Ministre du Saint Évangile.

A mesure qu'ils s'élèvent sur l'échelle sociale les réformés semblent respecter de moins en moins la modestie, la simplicité, la vertu à laquelle leur religion attache tant de prix.

Voici les Bigot, bonne famille appartenant à la bourgeoisie

parlementaire. « Il n'y a point de gens au monde qui s'estiment plus les uns les autres que ceux-là. Jacques... avait fait un arbre généalogique et écrivait soigneusement la naissance de tous les enfants issus des Bigots ou des Bigottes, c'est pour cela que l'abbé Tallemant appelait cette famille la Maison d'Autriche. Ils employaient toute la matinée leurs laquais à envoyer savoir des nouvelles les uns des autres.

« La Honville [1], comme l'aîné de tous, est aussi le plus grimacier : la première chose qu'il fait quand il est levé, c'est d'aller dans la chambre de sa fille aînée avec laquelle il loge pour savoir comment elle a passé la nuit. Il fit une fois un voyage avec elle.... Tout le long du chemin cet homme venait dire à sa fille : « Ma fille, ne vous plaît-il pas qu'on mette les chevaux? » La fille bien instruite répondait : « Ce qu'il vous « plaira, mon papa, c'est à vous d'ordonner. » Il en fallait autant pour déjeuner, autant à la dînée et à la couchée pour savoir en quelle hotellerie on irait [2]. »

Ces Bigot sont aussi avares que glorieux. Leur fille, la belle Mme de Gondran, célèbre par ses galanteries, sera la maîtresse de M. de Sévigné et causera le duel où ce mauvais sujet trouvera la mort. Mme de Sévigné, ne possédant ni portrait, ni cheveux de son mari, en fera demander à sa rivale.

Jetons maintenant un regard sur les sommets, sur l'illustre maison de Rohan à laquelle reviendrait le royaume de Navarre si la postérité de Henri IV venait à s'éteindre. La vicomtesse de Rohan, une Parthenay issue des Lusignans, gémit de voir son fils devenu duc et pair. Elle juge que c'est une déchéance. « Femme de vertu, mais un peu visionnaire », elle écrit des libelles contre le Roi et, sous Louis XIII, contribuera puissamment à ranimer les guerres civiles.

Le jeune Rohan épouse Mlle de Sully. Comme c'est encore une enfant, les parents décident de retarder la consommation

1. Bigot de la Honville, contrôleur général des Gabelles.
2. Tallemant de Réaux : *Historiettes*.

du mariage. Trop longtemps au gré de l'ardente fillette. « Quand on vint dire à M. de Rohan que sa femme était accouchée, il en fut surpris, car, à son compte, cela ne devait pas arriver si tôt. » Les aventures scandaleuses de Mme de Rohan vont défrayer la chronique jusqu'au temps de la Fronde. « Cette femme, dit Tallemant, en un pays où l'adultère eût été permis, eût été une femme fort raisonnable ; car on dit, comme elle s'en vante, qu'elle ne s'est jamais donnée qu'à d'honnêtes gens ; qu'elle n'en a jamais eu qu'un à la fois et qu'elle a quitté toutes ses amourettes et tous les plaisirs quand les affaires de son mari l'ont requis. »

Une nuit, la duchesse de Rohan, revenant du bal, rencontre des voleurs. D'instinct elle met la main sur ses perles. Un des bandits, voulant lui faire lâcher prise, l'attaque à « l'endroit que d'ordinaire les femmes défendent le plus ».

« Pour cela, lui dit la belle, vous ne l'emporteriez pas, mais vous emporteriez mes perles. »

Selon Tallemant, c'est elle « qui a commencé à faire perdre aux jeunes gens le respect qu'on portait autrefois aux dames ».

Si la communauté protestante conserve un idéal politique et religieux opposé à celui de la plupart des Français, elle n'en reflète pas moins le génie d'une époque dont elle partage la fougue et les passions.

TROISIÈME PARTIE

L'INDIVIDU

I

LA FORMATION

CET homme de 1600 dont les armures nous laissent rêveurs avait de quoi nous déconcerter bien davantage par sa petite taille [1], sa précocité, sa résistance physique et nerveuse, son amour des combats, son prodigieux appétit, ses convictions inébranlables. Si nous le suivons de sa naissance à sa mort, souvent prématurée, il ne nous marchandera pas les surprises.

La naissance d'un enfant avait beau se produire presque chaque année dans la plupart des familles, elle n'en était pas moins célébrée avec beaucoup plus d'éclat et de cérémonies qu'aujourd'hui. Surtout quand venait au monde un garçon.

La Reine accouchait publiquement et devait se prêter de bout en bout aux redoutables exigences de l'étiquette. Sans aller aussi loin les dames nobles l'imitaient, les bourgeoises riches imitaient la noblesse, les pauvres s'en tiraient comme elles pouvaient.

En sa « chambre de gésine » parfumée, somptueuse, l'accou-

1. C'est seulement au cours du XIXe siècle que la taille moyenne est devenue celle qui nous semble normale.

chée occupait un lit à l'antique orné de peintures et portait un vêtement brodé d'or, fourré de martre. Chaque dimanche précédant ses relevailles elle changeait de parure.

Des musiciens, des chanteurs s'appliquaient à la distraire. Et les visites affluaient : tous les parents, tous les amis, toutes les connaissances accompagnées de commères dont c'était la principale occupation. Ces officieux envahissaient la maison et, sous couleur d'égayer la malade, festoyaient aux frais du mari pendant plusieurs semaines. Bien entendu les langues allaient bon train. Les « caquets de l'accouchée » étaient devenus une expression proverbiale. Ils avaient fourni la matière d'un livre. Les sièges qui entouraient la couche se nommaient des « caquetoires ».

Une femme de qualité ou une grande bourgeoise allaitait rarement son enfant. Les nourrices, nombreuses pour les princes — Henri IV en eut six —, faisaient l'objet d'un examen sévère. Ambroise Paré, puis Jacques Guillemeau, chirurgien de Sa Majesté, avaient énuméré les qualités indispensables à ces femmes.

La nourrice idéale devait avoir plus de vingt-cinq ans et moins de trente-cinq, être mère de plusieurs enfants, « se montrer bien saine, bien carrée de poitrine et bien carrée d'épaules, ayant bonne et vive couleur, ni trop grasse, ni trop maigre, la chair non mollasse, mais ferme ; et qu'elle ne soit rousse ; aussi qu'elle ait le visage beau ; et qu'elle soit brune (de teint) parce que le lait est meilleur que d'une blanche ».

Et cela ne suffisait pas. Il lui fallait encore « être de bonnes mœurs, sobre..., gracieuse, sans se fâcher, ni courroucer, car il n'y a rien qui corrompe le sang plus que tristesse et colère..., chaste sans désirer la présence de son mari, prudente, sage et avisée, devinant ce que l'enfant demande ».

Il n'est pas étonnant qu'avec tant de vertus, la nourrice occupât dans la maison un rang privilégié. Celle du Dauphin (Louis XIII) eut une fille dont le prince fut parrain.

Tandis que l'accouchée caquetait en sa belle chambre, la nourrice remuait le berceau du nouveau-né et lui chantait des chansonnettes quelquefois assez gaillardes :

> Qui est celui qui veut ici venir ?
> Cache, Lisa, cache ton beau téton.
> Ah! le voilà qui te le veut ravir,
> Cache, vois-tu celui, mauvais garçon,
> Qui te venait ton petit tétin prendre ?
> Ah! garçonneau, vous vouliez nous surprendre ?
> Venez, mignon, venez tôt, hâtez-vous.
> Ah! le beau fils! Ceci sera pour vous
> Venez premier que l'autre ne l'emporte.
> Tu l'as gagné. Or, serre entre tes dents
> Et à deux mains. Et lui fermons la porte,
> Allez, mauvais, sortez d'ici dedans!

On s'efforçait de prévenir les convulsions et les autres maux qui menaçaient l'enfant. Les propriétés thérapeutiques des pierres précieuses n'étaient pas discutables. A défaut de ces coûteux talismans, Guillemeau préconisait « un nouet fait de racine d'iris, d'angélique et de pivoine mâle ». Les dents de loup « liées sur l'enfant » facilitaient la dentition. Une dent de vipère mâle que les nobles enchâssaient dans l'or ou l'argent et suspendaient au cou de leurs héritiers faisait également merveille. En tout état de cause, la nourrice frottait les gencives douloureuses avec un doigt enduit de miel, de beurre, de cervelle de lièvre et de vipère, de lait de chienne mêlé à de la cervelle de porc.

Contre l'incontinence d'urine le remède, plus dangereux encore, était la viande de porc-épic dont le poupon devait se régaler. Ceux qui dépassaient le premier âge représentaient vraiment une sélection humaine.

On les sevrait entre dix-huit mois et deux ans. Le plat que mangea le futur Louis XIII à cette occasion fut un hachis de canard.

Les enfants nobles, ondoyés au moment de leur naissance, recevaient le baptême assez tard (Louis XIII avait cinq ans). Le populaire donnait la cérémonie comme prétexte à une fête désordonnée. Passer l'enfant à travers la fenêtre de l'église lui assurait une longue vie. Afin qu'il ne devînt pas sourd, le parrain et la marraine sonnaient les cloches. Au bruit chacun se précipitait. « Le petit peuple et la canaille arrivaient en foule à l'église pour sonner aussi et la maison du Seigneur qui est une maison de prières devenait une maison de trouble et de confusion, un lieu aussi peu respecté qu'une place publique. »

Le cortège se rendait ensuite au cabaret où la beuverie dégénérait facilement en bacchanale. On oubliait vite le malheureux enfant qui payait parfois bien cher ces réjouissances célébrées en son honneur.

Un garçon restait aux mains des femmes jusqu'à sept ans. Il n'était pas pour autant traité avec douceur. La douceur semblait la chose du monde la plus funeste. Montaigne lui-même jugeait dangereux de laisser aux parents l'éducation de leurs fils. Henri IV, père insolitement tendre qui voulait être appelé « papa » et non « monsieur » et promenait ses enfants sur son dos, reprochait à la sévère Mme de Montglat de ne pas corriger assez rudement le Dauphin. Et pourtant!...

Le Roi voulait, selon le vieil usage, que l'héritier du trône servît ses parents. Il lui disait :

« Je suis le maître et vous êtes le valet. »

Il lui disait bien d'autres choses encore! Les « convenances » érigées en lois par le puritanisme du XIXe siècle auraient semblé bouffonnes aux gens du XVIIe. Nul ne se serait avisé d'interdire aux petits garçons la connaissance des questions sexuelles ou l'emploi des « gros mots ». Au contraire. Le Dauphin, à trois ans, n'ignorait point qui, parmi ses frères, avait été « dans le ventre de maman ». Il s'écriait, parlant d'un des bâtards royaux, Antoine de Moret :

« Il est après la m... que je viens de faire! »

On ne saurait décrire comment l'austère Sully vérifiait devant toute la maisonnée si sa fillette avait de quoi contenter un mari.

Les « bonnes manières » existaient, cependant, et malheur à l'indiscipliné qui les oubliait! Le manuel d'Érasme *De Civilitate Morum puerilium* continuait de faire autorité.

La toilette n'importait guère, tandis que la tenue pendant les repas paraissait essentielle. L'enfant mangeait au bout de la table, tête nue, à la différence des adultes, et sans souffler mot. Il s'asseyait seulement après en avoir reçu l'ordre, se levait avant les derniers plats, prenait son assiette, puis, s'étant incliné très bas devant le maître de maison, se retirait en sa chambre.

« Les enfants du monde qui ont des mères bien sages ne parlent jamais devant elles que très bas et sont toujours dans la chambre de leur mère », affirmait Angélique Arnaud. La veuve d'André du Laurens, médecin du Roi, levait une main fort leste si dans la rue ses filles ne gardaient pas les yeux constamment baissés. François de Sales reprochait à Mme de Chantal une sollicitude maternelle qui, d'ailleurs, n'empêcha point la future visitandine d'abandonner les siens pour le service de Dieu.

On évitait soigneusement d'amollir, « d'attendrir », une jeunesse pliée dès le premier âge à une discipline rigoureuse, à une soumission absolue. Système qui ne laissait pas beaucoup de souvenirs heureux, mais qui forgeait les caractères.

Les filles, assurément, étaient formées à la coquetterie. Depuis les guerres civiles, on voulait aussi qu'elles eussent de « l'endurance » et une expérience pratique. A sept ans, quelquefois plus tôt, elles prenaient le chemin du couvent.

Les congrégations vouées à l'éducation des jeunes filles (ursulines, augustines) devaient seulement s'établir au début du règne de Louis XIII. Sous Henri IV les maisons religieuses souffraient encore des bouleversements subis pendant les troubles. La foi, la tenue, la règle, étaient fort relâchées, les études fantaisistes. Beaucoup de familles y envoyaient des enfants dont elles entendaient se débarrasser. Au bout de quelques années, l'adolescente apprenait soit qu'on avait décidé de la marier à un homme, souvent inconnu, soit qu'il lui fallait prendre le voile afin de maintenir intact l'héritage de son frère aîné. Lui demander son avis ne serait venu à l'esprit de personne.

L'existence des religieuses forcées était en général assez brève. Les « libertins » prétendaient qu'une dizaine d'années suffisaient à laisser les parents indemnes de tout remords.

***

A l'âge où sa sœur franchissait le porche du couvent, le fils de bonne maison passait sous la direction d'un gouverneur. Tantôt il entrait avec lui au collège, tantôt il suivait des cours au domicile paternel.

En 1598 l'Université reçut défense d'accueillir des enfants de moins de neuf ans. Jusqu'à cette limite le monopole de l'enseignement était réservé aux écoles relevant du grand chantre de Notre-Dame et à celles contrôlées par la corporation des écrivains. Une école ouverte sans l'autorisation du grand chantre était une « école buissonnière ». Ce genre de maisons avait proliféré pour les huguenots.

Buissonnières ou non, les écoles initiaient leurs élèves à la lecture, à l'écriture, au calcul et surtout à la langue latine.

L'Université possédait un grand nombre de collèges dont plusieurs existaient depuis le XIIIe siècle. On se disputait avidement l'honneur d'y entrer. Des hommes célèbres, tels Ramus et Guillaume Postel, ne l'avaient pu qu'en devenant valets de riches écoliers. Cela impliquait une furieuse, une admirable passion de s'instruire, car le collège ressemblait à un bagne.

Levé à quatre heures du matin, l'étudiant travaillait jusqu'à huit heures du soir avec les seuls répits de deux récréations et d'une messe. Les jours de fête se passaient en dévotions. Peu de chauffage, peu de nourriture et fort mauvaise. Au collège de Montaigu le menu des petits se composait invariablement d'un demi-hareng ou d'un œuf. Celui des grands comportait le tiers d'une pinte de vin, le trentième d'une livre de beurre, un plat de légumes sans viande, un hareng, un petit morceau de fromage.

A la faim et au froid s'ajoutait une discipline barbare. « Vous n'y oyez, écrivait Montaigne — et cette description vaut jusqu'au XVIIIe siècle — vous n'y oyez que cris et d'enfants suppliciés et de maîtres enivrés en leur colère, les guidant d'une trogne effroyable, les mains armées de fouets.... C'est un bel agencement, sans doute, que le grec et le latin, mais on l'achète trop cher. »

Bien entendu, ces rigueurs s'atténuaient pour les élèves de bonne maison. Le petit gentilhomme portait dès le matin des bottes molles, des dentelles et des plumes. Il arrivait escorté de son précepteur et souvent d'un valet de chambre. Ainsi se présenta au Collège de Navarre Armand du Plessis de Richelieu, à l'âge de neuf ans. Longtemps après, le grand Cardinal, terreur de l'Europe, recevait son ancien recteur, M. Yon, avec un respect encore mêlé d'une sorte de crainte. Quant à son précepteur, l'abbé Mulot, il était devenu son confesseur.

Les cours étaient divisés en trois parties : grammaire, arts, philosophie. La *chria* ou *sententia*, c'est-à-dire le développement littéraire constituait la base de la méthode. Les écoliers devaient, par exemple, déclamer contre la tyrannie, prouver en trois points « que les racines de la science sont amères, mais que les fruits en sont doux ». La vogue des cahiers de sentences avait gagné la littérature, le barreau, la chaire.

L'étude de la philosophie durait deux années, la première entièrement consacrée à Aristote, la seconde à la physique et à la métaphysique. Le futur courtisan, pressé de quitter le collège, se contentait ordinairement de grammaire et d'art, ce qui était déjà fort beau. Dans la génération de ses parents maints seigneurs ne savaient même pas lire.

Les guerres civiles n'avaient pas épargné l'Université. En 1594 l'illustre Collège de Navarre servait d'asile à un ramassis de soldats, de paysans et de vagabonds. « Vous n'oyez plus aux classes le clabaudement latin des régents.... Au lieu de ce jargon, vous y oyez à toute heure du jour l'harmonie argentine et la vraie idiome des vaches et veaux ou le doux rossignolement des ânes et des truies. »

La bienfaisante paix répara ce désordre et l'Université retrouva sa gloire, encore qu'elle souffrît toujours de la grave atteinte portée depuis trente ans à son monopole.

Le pape avait, en effet, accordé aux jésuites le droit de conférer des grades universitaires et de cette dérogation aux règles du Moyen Age les jésuites avaient insolemment abusé. Leurs collèges dont la richesse contrastait avec la pauvreté de leurs augustes concurrents innovaient en tous les domaines.

La Compagnie de Jésus, ayant reçu une maison de la main d'un fondateur, y régnait sans partage. Il n'était pas question, comme à l'Université, de règlements votés par une assemblée d'étudiants. La *Ratio Studiorum* de l'ordre disait la loi. Seuls, des jésuites enseignaient et leur enseignement était révolutionnaire. Foin des vieilles compilations, des routines scolastiques, du latin de cuisine! Les jésuites se plaçaient sous l'égide des grands hommes de l'Antiquité, substituaient Cicéron et Virgile aux grammairiens et aux commentateurs. Ils voulaient une véritable culture littéraire à la place d'un fatras de connaissances, ils réduisaient l'histoire à un cours de morale en action.

Leur discipline impliquait une vigilance de chaque instant, mais aussi des démonstrations de sollicitude et d'affection paternelle. Le maître « avait une intimité particulière avec ceux qu'il avait distingués. C'était entre les professeurs et les élèves une communion de tendresse qui consolait de la famille absente et qui, au besoin, en tenait lieu. Sur ces cœurs conquis l'action du maître et de l'ami s'avérait efficace. Il avait peu de peine à manier un naturel qu'il connaissait si bien [1] ».

Aussi les élèves se multipliaient dans les maisons de l'ordre. A la mort de Henri III le Collège de Clermont à Paris en comptait sept cents. L'Université enrageait. Dès que Henri IV se fut rendu maître de la capitale, elle demanda l'expulsion d'une Compagnie dont l'intelligence avec l'Espagne et la Ligue avait été publique. Il y eut procès. Les jésuites, très humbles, demandaient à être associés et incorporés à l'Université, promettaient au recteur « soumission et obéissance ». L'affaire Jean Chastel trancha la question en provoquant leur exil, l'Université triomphante accentua encore ce que ses méthodes avaient de stérile et d'anachronique.

Le Roi le déplora. Dix ans après, malgré l'opinion publique, malgré le Parlement et naturellement les clercs, il rappela la Compagnie, l'autorisa à rouvrir ses collèges.

Mieux : il lui donna son beau château de La Flèche, plein de ses souvenirs d'enfance. Là serait fondée une maison modèle où les élèves échapperaient à l'insalubrité des écoles citadines. Là, faveur suprême, serait déposé le cœur d'un souverain qui, ayant surtout reçu les cruelles leçons de la vie, voulait pour ses sujets les bienfaits de la culture classique.

Les collèges où l'usage du latin était seul permis pouvaient obtenir des résultats extraordinairement brillants. Les exemples ne manquaient pas de garçons qui, tel Henri de Mesmes, savaient « disputer et haranguer en public » dès l'âge de douze ans et récitaient Homère d'un bout à l'autre. Ainsi les humanités et le culte des Anciens préparaient les générations du Grand Siècle.

L'enseignement supérieur était dispensé par le Collège de France (depuis 1566 les professeurs avaient le privilège d'y coopter leurs collègues), par la *très sacrée* Faculté de théologie,

1. Mariejol.

la *très consultante* Faculté de droit, la *très salubre* Faculté de médecine.

A Paris, les théologiens continuaient, comme l'avait dit Luther, « d'avoir à eux le lieu le plus agréable de la ville, une rue particulière fermée de portes aux deux bouts et qu'on appelle la Sorbonne ». Les constructions que Richelieu allait bientôt détruire dataient de saint Louis.

La Faculté de théologie avait la direction intellectuelle du royaume et le contrôle de toute la librairie. Elle jouissait d'un prestige immense, même au-delà des frontières. On la révérait comme la première autorité morale et religieuse après le Saint-Siège.

La Faculté de droit, installée rue Saint-Jean-de-Beauvais, était en décadence. La Faculté de médecine gîtait dans la rue des Rats. Il fallait subir victorieusement bien des épreuves avant de recevoir le titre de docteur et de prêter le serment dont Molière devait reproduire exactement les termes dans *Le Malade imaginaire*. Relevons parmi les sujets de thèses soutenues à la fin du XVIe siècle : *La nécessité de la mort est-elle innée ? Le fœtus ressemble-t-il plus à la mère qu'au père ? L'air est-il plus nécessaire que la nourriture et la boisson ?* Les principaux membres de la Faculté discutaient gravement de ces sottises, parfois pendant une demi-journée.

En 1598 Paris comptait quatre-vingt-seize médecins tenus de veiller non seulement sur le corps, mais sur l'âme de leurs clients. Le pape Pie V leur avait interdit de continuer leurs soins à un malade qui, après trois de leurs visites, ne se serait pas confessé.

Les cours publics de chirurgie existaient seulement depuis 1576, quoique les ordonnances fixant le statut des chirurgiens-barbiers et des barbiers-chirurgiens eussent été prises en 1311 et 1372. Ces praticiens souffraient du mépris attaché à tous les aspects du travail manuel. Naturellement ce mépris même était subdivisé. Les chirurgiens-barbiers placés sous le patronage de saint Côme et de saint Damien en écrasaient les barbiers-chirurgiens.

Jadis les premiers seuls possédaient le droit d'opérer, les seconds devant se borner à raser et à saigner. Le fameux barbier de Louis XI, Olivier le Daim, avait obtenu pour ses collègues la faculté d'opérer eux aussi. Néanmoins les barbiers aspiraient à se ranger parmi les chirurgiens, comme les chirurgiens rêvaient d'atteindre au niveau des médecins. Un pamphlet de 1598 décrit la guerre acharnée que se livraient les trois corporations.

Une de ses conséquences était de rendre singulièrement difficiles les études anatomiques. La Faculté, qui se réservait jalousement le monopole des dissections, soumettait seulement deux cadavres par an à l'observation des élèves. Les chirurgiens et barbiers avaient dû prendre le parti de s'entendre avec le bourreau.

Mais le bourreau ne voulait pas seulement être payé, il voulait voir sa responsabilité mise à couvert. Aussi, les jours d'exécution, une troupe de laquais et de crocheteurs, à la solde des chirurgiens, enlevait de force le cadavre encore chaud et le cachait en quelque boutique. La Faculté portait plainte, le Parlement rendait un arrêt. En fait, l'une et l'autre se voyaient réduits à l'impuissance devant la curiosité passionnée qu'avait éveillée chez les étudiants l'exemple d'André Vesale [1].

L'Université bénéficiait de privilèges immenses. Elle régnait sur toute la partie de la rive gauche comprise à l'intérieur de l'enceinte de Philippe Auguste et sur le Pré-aux-Clercs (entre l'emplacement actuel de l'Institut et celui de la rue de Constantine). Ses écoliers échappaient à la juridiction de la police. Si le prévôt de Paris osait en saisir un, l'Université fermait les cours, déclenchait la grève.

Le prévôt, « conservateur des privilèges de l'Université »,

1. André Vesale fut le premier à détruire l'autorité jusque-là incontestée de Galien grâce à ses observations sur les cadavres.

prêtait serment entre les mains du recteur. En 1592 seulement il rejeta ce vasselage. Cela commença de mettre un frein aux excès des étudiants qui, sous Henri IV, continuaient, néanmoins, à molester les passants, à les détrousser même et à remplir les cabarets du fracas de leurs orgies.

Les professeurs s'associaient parfois à ces débordements. Au point qu'il leur fut interdit de jamais quitter leur « robe longue sans manches coupées ».

***

Étant sorti du collège vers l'âge de quinze ans, le gentilhomme qui ne se destinait pas à l'Église entrait à l'Académie récemment fondée par M. de Pluvinel, premier écuyer de Sa Majesté.

M. de Pluvinel, fidèle serviteur de deux rois, avait beaucoup voyagé. Il connaissait bien l'Italie, l'Allemagne, la Hollande, la Pologne où il avait fait partie de la suite de Henri III. Les Italiens chez lesquels toute la noblesse du continent apprenait à se conduire lui avaient inspiré le désir de les imiter. Le manège qu'il ouvrit rue Saint-Honoré près la rue du Dauphin, dans l'ancien hôtel dit de la Corne de Cerf, connut très vite une vogue extraordinaire et reçut la consécration royale. L'ambassadeur vénitien s'en alarma.

« Sa Majesté, écrivait-il en 1598, pour élever sa noblesse le plus vertueusement possible, a fondé une Académie à Paris, où chaque jour les exercices sont conduits par le grand écuyer du Roi. Celui-ci doit fournir aux jeunes gens des chevaux qu'il tire d'ailleurs des écuries royales. Il leur enseigne à monter à cheval et tous les exercices qui se rapportent à l'équitation. Il leur procure des maîtres d'escrime, de table, de musique, de mathématique et il leur fournit un ou deux valets selon la qualité de chacun d'entre eux ; le tout moyennant une somme de 1 000 écus l'an. A l'exemple de cette Académie, d'autres se sont établies dans différentes villes du Royaume, à Rouen, à Toulouse.

« Si cela continue, il est à croire que l'on verra beaucoup moins de jeunes Français en Italie et que, notamment, la ville de Padoue en souffrira. »

L'Académie formait ce qui allait être l'« homme du monde » jusqu'à la fin du XVIIe siècle. Un homme dont les vertus cardinales seraient la vaillance et la religion de l'honneur ; un homme constamment occupé de sa tenue, prompt d'esprit et de corps, rompu au métier des armes ainsi qu'à tous les exercices physiques.

L'équitation et l'escrime représentaient les deux piliers de cette éducation patricienne. Nul n'enseignait mieux à manier un cheval que M. de Pluvinel. Quant au jeu de l'épée, l'école française accusait sous son impulsion assez de progrès pour reléguer l'école italienne au deuxième rang.

Le jeune gentilhomme apprenait à l'Académie bien d'autres choses encore, notamment la bague, la quintaine et l'art subtil du courtisan. M. de Pluvinel exerçait son autorité sur les gestes, le langage, la frisure des plumes, la hauteur des chapeaux. Il conféra sa marque à une génération. Richelieu la garda sa vie entière. Et, parallèlement, un des nombreux étrangers venus découvrir le « bel air de Paris », Georges Villiers, futur duc de Buckingham.

L'adolescent acquérait simultanément une expérience pratique, puisque, selon la tradition, il devenait page d'un grand seigneur, voire du souverain. Les pages ne le cédaient pas en turbulence aux étudiants des Facultés. Ils mettaient même leur gloire à perpétrer des méfaits, à terroriser les bonnes gens. On les châtiait avec rudesse sans leur tenir rigueur.

Dans le sillage de son maître, le page chassait, chevauchait, dansait à ses premiers bals, faisait ses premières armes et ses premières conquêtes amoureuses. Il s'efforçait de ressembler aux idoles de la jeunesse : au duc d'Épernon, jadis archimignon du feu Roi, encore piaffant, glorieux, féroce et d'une arrogance inégalée ; au magnifique Bassompierre dont les bons mots étaient aussi célèbres que les bonnes fortunes ; au duc de Bellegarde, dernier favori de Henri III, premier amant de la Belle Gabrielle, qui, par les soins prodigieux apportés à sa toilette, perpétuait les Valois et préfigurait Brummell.

Ce dandy avant la lettre était affligé d'une roupie au nez qui exaspérait Henri IV.

« Eh! Sire, rétorqua un jour le fier seigneur à une moquerie du Béarnais, vous pouvez bien souffrir cette incommodité que j'ai, puisque vous souffrez les pieds de M. de Bassompierre! »

Les pages se répétaient cela avec admiration, comme leurs lointains descendants évoquent de nos jours telle repartie d'un dieu du stade ou de l'écran.

II

LE MARIAGE

LES enfants étaient souvent fiancés dès l'âge du discernement — sept ans environ — et cela dans toutes les classes de la société. Pour les princes, on s'occupait de leurs épousailles quand ils vagissaient encore. Depuis le monarque soucieux de ses alliances jusqu'au paysan impatient d'arrondir un lopin de terre, en passant par le bourgeois anxieux de s'élever, aucun chef de famille ne songeait à l'« établissement » des siens autrement qu'à une affaire.

Nulle voix ne s'élevait contre cet état de choses. Le mariage du temps était essentiellement un mariage de raison fondé sur la soumission de la jeune fille au choix de ses parents et de la femme à l'autorité maritale.

Les guerres civiles avaient scandaleusement favorisé les enlèvements, les séquestrations, les violences suivies d'unions clandestines, consenties ou forcées. La cupidité provoquait ces drames beaucoup plus souvent que l'amour et la luxure. Ainsi le duc de Mayenne se saisit de la petite Anne de Caumont La Force, âgée de douze ans, dont il voulait assurer le bien à son fils, qui en avait dix.

Afin de contrarier ces pratiques l'édit de Blois promulgué en 1579 rendit obligatoire la publication des bans, exigea la présence de quatre témoins, interdit aux curés de célébrer la cérémonie nuptiale sans avoir la preuve du consentement des parents et aux notaires de recevoir des promesses de mariage, édicta enfin la peine de mort contre le suborneur, même si la fille séduite ne protestait pas.

Cette rigueur n'eut pas grand effet tant que dura le désordre. En revanche elle suscita des conflits entre l'Église et l'État. Le clergé revendiqua hautement sa compétence, condamna les « appels comme d'abus » introduits devant la juridiction civile. Le Parlement allait devenir l'arbitre d'une question relevant au premier chef du sacerdoce! Les contradictions entre la législation civile et le droit canonique feraient peser un doute intolérable sur la légitimité des unions!

Le débat se prolongea bien au-delà des troubles. En 1605 l'Assemblée du clergé adressa au Roi d'amères doléances. Henri IV promit d'en tenir compte. Son édit de décembre 1606 reconnut la compétence des tribunaux ecclésiastiques, mais à condition que ces tribunaux exigeassent le respect absolu de l'édit de Blois. C'était là une étape importante, sinon vers la sécularisation du mariage, du moins vers la conception du mariage civil. Trente ans plus tard, l'Église devait admettre le caractère impératif d'un contrat dont la nullité entraînait celle du sacrement [1].

Avec tout cela les rapts et les unions secrètes restaient nombreux. Au cœur de Paris on arrêtait des carrosses pour en arracher des jeunes filles. Et, si le Parlement de la capitale annulait automatiquement les mariages clandestins, celui de Bourges rechignait à le faire, tandis que celui d'Aix-en-Provence s'y refusait nettement.

Cette manière expéditive et brutale de fonder une famille était cependant exceptionnelle. La règle imposait aux parents de se mettre sans retard en quête de bons partis. Le rang comptait beaucoup, évidemment, mais la fortune davantage encore. « Aujourd'hui, écrivait L'Estoile, les pères et mères ne font attention qu'aux biens et ferment l'oreille à toute autre considération. »

L'affaire conclue entre les deux chefs de famille, ceux-ci

1. Lorsqu'elle invalida le mariage de Gaston d'Orléans et de Marguerite de Lorraine en 1635.

signifiaient leur décision aux intéressés. La littérature et le théâtre ont abusé des mariages forcés, exagéré les contraintes paternelles. Il est néanmoins certain que l'opinion de l'adolescent et surtout celle de la fiancée ne pesaient guère. Mme de Chantal disait à sa fille :

« Certes, je suis bien contente d'avoir fait ce mariage sans vous ; c'est ainsi que se gouvernent les sages et que je veux, ma chère fille, être toujours votre conseil. »

Elle ajoutait :

« Écrivez-moi, comme vous me le promettez, tous les sentiments de votre cœur et si Dieu l'a lié, comme je l'espère, à M. de Toulongeon. »

Les enfants s'insurgeaient rarement. Eux-mêmes étaient convaincus de la nécessité du mariage de raison et que « le devoir d'une fille est dans l'obéissance ». Il leur arrivait pourtant d'en appeler au Roi ou à la justice. Ils pouvaient aussi protester lorsqu'ils se voyaient malgré eux voués au célibat.

Claude de Comenge, fille du vicomte de Bruniquel, obtint contre son père un arrêt du Parlement de Toulouse l'autorisant à sortir du couvent et à contracter un mariage digne de sa qualité. Suzanne Quatremain dénonça à l'official de Pontoise la violence par laquelle sa mère lui avait extorqué une promesse de mariage.

Le fils du futur maréchal de La Force aimait Jeanne de La Roche-Fatou dont il se voyait également aimé. Hélas! les parents de la jeune personne avaient d'autres vues. Henri IV, qui se plaisait parfois à jouer les bons génies, voulut faire le bonheur de ces enfants. Il remit Jeanne à deux gentilshommes de confiance et, curieusement, chargea un maître des requêtes de vérifier la force de son inclination. Ce magistrat ayant opiné favorablement, le Roi ordonna le mariage des amoureux.

Quelques mois après, lui-même succombait à une folle passion pour la belle Charlotte de Montmorency âgée de quatorze ans et promise à son favori Bassompierre. Le bon génie, métamorphosé en tyran, rompit brutalement les fiançailles de son ami. Il força ensuite le prince de Condé à épouser Charlotte, ayant lieu de penser que ce garçon ferait un mari complaisant et platonique.

Lorsqu'un jeune homme, noble ou non, échappait à une volonté aussi impérieuse et s'interrogeait sur son avenir conjugal, il existait plusieurs moyens capables de l'éclairer. Le meilleur consistait à s'arrêter la veille de la Saint-André, devant la porte d'une étable renfermant une truie et sa progéniture. Minuit sonnant, il fallait frapper. Si la truie grognait la première, le consultant était certain d'épouser une veuve ; si les petits donnaient d'abord de la voix, il serait uni à une vierge.

Mais peut-être avait-il la curiosité de connaître la couleur des cheveux de sa femme? En ce cas rien de plus facile. Il lui suffisait d'arracher au feu de la Saint-Jean un tison à demi consumé ; de l'éteindre et, en se couchant, de le placer sous son traversin. Le lendemain matin, des cheveux se trouveraient enroulés autour du tison et leur couleur fournirait le renseignement.

Les recettes ne manquaient pas davantage pour toucher le cœur d'une belle ou d'un damoiseau. En voici quatre dont l'efficacité ne pouvaient être mise en doute :

faire boire à l'intéressé une eau dans laquelle avaient trempé, pendant un jour et une nuit, un os de mort ou des mouches cantharides pulvérisées ;

porter un morceau des chaussures ou de l'habit de la personne désirée, ainsi que des rognures de ses ongles et de ses cheveux ;

confectionner des anneaux de jonc et, en se jouant, les mettre au doigt de l'aimé (e) ;

jeûner six vendredis et trois mercredis de suite.

Hélas! ces recettes mêmes ne rendaient pas moins malaisé l'établissement des filles sans fortune. Les petites villes seules fournissaient quelquefois un parti à ces infortunées. Les fondations destinées à doter les plus pauvres ne se comptaient pas. En désespoir de cause, on avait recours aux agences matrimoniales, aux « apparieuses ».

Le soin de présenter la demande était confié à des parents, voire à des amis distingués. En chemin ces ambassadeurs apprenaient aisément quel serait le sort du ménage. Les choses tourneraient mal s'ils croisaient une femme enceinte, une femme échevelée, un moine, un prêtre, un lièvre, un chien, un chat, un serpent, un lézard, un cerf, un chevreuil, un sanglier, un aveugle, un borgne, un stropiat. S'ils éternuaient, le présage semblait assez funeste pour les forcer à rebrousser chemin.

En revanche, un coup de tonnerre, un saignement de nez, un bourdonnement de l'oreille droite étaient bénéfiques. Il fallait aussi se réjouir de rencontrer une courtisane, une chèvre, un loup, un pigeon, une araignée, un crapaud, une cigale.

La demande faite et agréée, la jeune fille recevait une pointe de diamant (une bague) et un baiser «avoué»; les intermédiaires, des cadeaux.

Les fiançailles, célébrées avec solennité, ne ressemblaient plus à l'espèce de noviciat qu'elles figuraient aux époques de haute piété. L'Église conseillait même d'en abréger la durée, prescription particulièrement compréhensible en des pays où, comme à Foix, les fiancés jugeaient inutiles d'attendre le sacrement.

Rompre les fiançailles était une affaire très grave. Aussi les amants contrariés recouraient-ils volontiers aux accordailles secrètes. En 1604 Henri de Bullion et Marguerite Durand qui assistaient à la grand-messe de l'Ascension « placèrent l'échange de leur foi sous la consécration du mystère de l'autel ». Le jour de la Pentecôte, cette promesse verbale devint un engagement écrit et signé.

Dans les classes populaires, les fiançailles s'accompagnaient de gestes symboliques. La jeune paysanne provençale pouvait pousser l'indépendance jusqu'à décourager son « prétendu ».

A cette fin elle glissait en sa poche quelques grains d'avoine. « Il a reçu l'avoine » était une locution courante. Le fromage râpé servait à marquer des sentiments plus doux. Au cours du repas, la fiancée prouvait la force de son penchant par la quantité de ce produit dont elle saupoudrait le bouilli.

Les parents se préoccupaient surtout d'établir les « articles du mariage », le précieux contrat. La dot, rarement immobilière, comprenait toujours des meubles, un trousseau, des vêtements. Parfois les ascendants s'engageaient à héberger le couple pendant un certain temps. On appelait cela les « nourritures ». La fin du XVIe siècle vit se généraliser l'hypothèque légale destinée à protéger la dot contre l'administration maritale. Un douaire était garanti à la femme en cas de veuvage.

Les incertitudes nées de l'anarchie avaient rendu les familles prodigieusement âpres et pointilleuses. La future sainte Chantal elle-même ne différait point des autres sur ce chapitre. Il faut saluer le rare désintéressement de Robert Arnauld d'Andilly et de Mlle de La Boderie : chacun signa en blanc, laissant à l'autre le soin de définir ses apports.

Le jour des noces arrivait. On évitait d'ordinaire le vendredi, le mercredi (sinon le mari serait trompé un jeudi), le mois de mai générateur de pauvreté, le funeste mois d'août. Il fallait se marier à jeun ou s'exposer à engendrer des enfants muets. Passer sous deux épées nues mises en croix de Saint-André garantissait le bonheur aux épousées.

Si un cierge s'éteignait avant la fin de la messe nuptiale, un des conjoints était condamné à mourir dans l'année. Celui dont la main était la plus froide mourrait le premier. Il était bon qu'au seuil de la maison conjugale, la jeune femme brisât un œuf à coups de pied et reçût du blé au visage.

Des hommes pieux passaient la première nuit en prières auprès de leur femme. C'était la « nuit de Tobie ». Certains prolongeaient cette abstinence trois jours durant. Mais, d'habitude, l'impatience faisait tort à la religion.

Les Grands étalaient en cette occasion un luxe effréné. Les humbles se livraient à des réjouissances grossières. En 1609 le concile de Narbonne interdit — vainement — les rires, les turbulences, les paroles obscènes qui profanaient les églises.

Pendant le repas de noces, la maison, ouverte à tout venant, devenait le théâtre d'une bacchanale. Des flots de vin répandaient l'ivresse et imprimaient aux danses un rythme érotique.

La mariée ne pouvait refuser aucune invitation. En Bretagne elle ne pouvait même pas refuser ses lèvres. La fête durait facilement trois jours. A force de prêcher la décence le père Cotton obtint qu'elle fût interrompue au lever du soleil pour reprendre avec le retour de la nuit.

Quand les époux avaient échappé à leurs hôtes en folie, ils ne connaissaient pas encore l'intimité. On envahissait leur chambre à l'improviste, on les accablait de musique, de boisson... et de baisers. En Champagne, tous les hommes du côté du marié avaient droit d'embrasser la mariée, habilité, lui, à embrasser toutes les femmes de l'autre famille.

Enfin, le tumulte s'apaisait et le ménage découvrait la vie conjugale.

La femme se trouvait, selon l'adage latin, « dans la main de son mari », qui devait lui « porter amour » et aussi « la tenir en crainte ». Lorsqu'elle lui écrivait, elle se disait sa très humble servante. Souvent, à la campagne, elle lui parlait à la troisième personne, le servait à la table où elle n'osait s'asseoir. Il lui incombait de diriger la maison, de veiller aux comptes, de ne rechigner ni à la besogne ni à l'enfantement. L'époux avait sur elle les mêmes droits que sur une fille mineure, notamment ceux de la frapper, de l'enfermer, voire de la reléguer au couvent. Cependant des brutalités entraînant une blessure autorisaient la victime à réclamer le secours de la justice.

Cette justice, indulgente à l'égard des maris violents, se montrait impitoyable envers les maris battus. Car il s'en rencontrait de cette espèce, et pas seulement chez les vilains. Mme de Vervins, Mme de Bretonvilliers rossaient les leurs à tour de bras.

Les Parlements ne pardonnaient pas à ceux qui laissaient bafouer le prestige des mâles. Les nobles étaient habituellement épargnés, mais le bourgeois, le paysan ridicule devait chevaucher un âne tête-à-queue et se livrer ainsi aux insultes de la populace.

La femme du temps n'était pas une faible créature. La duchesse de Montpensier, vraie meurtrière de Henri III, commandait aux Ligueurs. La Reine Margot, captive au sommet du pic d'Usson, se rendit maîtresse de la place d'où, pendant dix-neuf années, elle tint son frère, puis son mari en échec. Henriette d'Entragues, maîtresse du Roi, conspirait contre son amant et fut complice de son assassinat. La comtesse du Sault disputa la Provence au duc de Savoie, la baronne de Bonneval terrorisait Uzerche. La Bretagne ne comptait pas plus de trois bons ménages. Et les mauvais l'étaient au point que les morts subites des maris passaient pour autant de crimes des épouses.

Beaucoup de dames, chasseresses infatigables, savaient dresser les chevaux, manier la rapière, l'épieu et l'arquebuse. Malgré la tyrannie conjugale, la Française apparaissait comme une amazone aux yeux de l'Espagnole et de l'Italienne, prisonnières d'une inflexible jalousie.

* * *

L'amour restait une affaire extérieure au mariage. Ni l'opinion ni la loi n'accordaient dès lors la moindre importance à l'adultère masculin. La femme ne pouvait attaquer judiciairement son conjoint en invoquant cette raison absurde. Son ressentiment, si elle le manifestait, semblait coupable, risible. Mlle de Scudéry jugeait une telle attitude d'un parfait mauvais goût. Vivès accordait à la victime le droit d'adresser quelques remontrances mais à condition de ne pas irriter son seigneur et maître.

Tout changeait, bien entendu, lorsque les rôles étaient renversés, lorsqu'un sang étranger risquait de compromettre la pureté de la race. D'ordinaire le gentilhomme vengeait lui-même son honneur avec l'assentiment de la loi. Le marquis de Malauze séquestra la marquise qui jusqu'à sa mort ne revit aucun visage sauf celui de sa servante. M. de Souscarrière enferma l'infidèle en un couvent.

C'étaient là des douceurs. Un grand seigneur gascon, dont le chroniqueur a caché le nom, fit tuer sa femme par ses Suisses à coups de hallebarde. Le comte de Gramont empoisonna la sienne après avoir poignardé l'amant. Le comte de Vertus assassina les deux coupables, sachant qu'ils se disposaient à l'attirer dans un guet-apens.

Et voici une action assez noire du bon Roi Henri. Le comte de Cheverny supportait patiemment les amours de la comtesse. Le Béarnais le lui reprocha de manière si cruelle que Cheverny, sans désemparer, s'en fut étrangler la malheureuse, alors enceinte de six mois.

Les roturiers préféraient s'adresser à la justice. La vengeance laissait alors sa part à la grivoiserie sauvage du populaire. Sous le premier Bourbon la femme adultère devait encore courir toute nue à travers la ville sous les huées, les cris, les plaisanteries ignobles de la foule. Cela ne la dispensait d'ailleurs pas d'autres peines : le carcan, le pilori (devenus rares), la fustigation (fréquente) suivie parfois de bannissement, plus souvent d'une réclusion en ce cloaque, cet enfer qu'étaient les Filles Repenties. La condamnée perdait en outre ses biens dotaux et paraphernaux.

Malheur à l'infâme convaincue d'avoir été la maîtresse d'un inférieur appartenant à la maison de son mari ! La mort réunissait alors les deux amants.

Et malgré tant de cruauté, peu d'époques furent aussi fertiles en aventures extra-conjugales. Les sujettes du Vert Galant méritent l'admiration, sinon pour leur vertu, au moins pour leur témérité.

Citons un cas piquant où le mari eut le dessous. La vicomtesse de Lisle qui était fort riche — 20 000 livres de rente — s'enticha scandaleusement de sa suivante. Le vicomte, furieux, renvoya cette fille. Mme de Lisle s'installa en sa compagnie dans la capitale. M. de Lisle dut venir à résipiscence, accepter de vivre auprès des deux « tribades ».

Les unions entre catholiques et protestants n'étaient point rares. Cela provoquait d'affreuses batailles à propos des enfants. Le 11 avril 1610, Louis Paris, sieur de la Haie, fit baptiser son jeune fils au temple, en cachette de la mère. Celle-ci prit sa revanche et, dès le 22, présenta l'enfant à l'église.

Trois causes pouvaient entraîner une séparation légale des époux : les sévices vraiment graves, la dilapidation du patrimoine, la non-consommation du mariage. Les juridictions ecclésiastique et civile étaient compétentes, elles n'acceptaient la troisième raison qu'après une épreuve publique!

Devenus veufs, les hommes se remariaient volontiers. Le maréchal de La Force convola pour la dernière fois à quatre-vingt-neuf ans.

La veuve avait le droit soit d' « avouer », soit de répudier la mémoire et la gestion du mort. Si elle les répudiait, elle déposait sur la tombe la ceinture, la bourse, les clefs, emblèmes du pouvoir domestique. Plus souvent elle devenait le chef de la famille. Un second mariage ne lui enlevait pas son autorité maternelle.

Parmi les nombreuses reprises qu'elle exerçait se trouvaient les frais du deuil. Le grand deuil se portait pendant une année en noir ou en blanc. Il fallut attendre la duchesse d'Aiguillon, nièce de Richelieu, pour voir admis un demi-deuil atténué par toutes les couleurs à l'exception du vert.

III

LE FEU ET L'EAU

La lumière et l'eau sont pour nous des biens usuels : seul le fait de les perdre un moment nous permet d'en mesurer la valeur. Il n'en allait pas ainsi dans une bonne ville du Roi Henri, surtout pas à Paris. Les plus belles maisons, donnant sur des cours ou sur des ruelles, recevaient un jour parcimonieux à travers les vitraux (on s'ébahissait devant le « modernisme » de l'Arsenal garni de vitres par Sully). Beaucoup de chambres manquaient totalement d'ouvertures, les locaux sinistres qui servaient de logements aux domestiques étaient des trous éternellement ténébreux.

Dès le matin il fallait user soit des lampes à huile de navette, soit des chandelles dont le suif répandait une odeur affreuse. Les luxueuses bougies de cire n'étaient employées que chez les Grands et les nouveaux riches du type Sébastien Zamet. On se rompait facilement les os le long des redoutables escaliers à vis si quelque courant d'air venait à souffler une flamme vacillante.

Point d'éclairage urbain. Sortir la nuit tombée exigeait des torches, des lanternes et un dispositif de protection. Les allumettes soufrées étaient connues, comme le prouve un passage du *Pantagruel*. On s'en servait peu, cependant. Le moyen ordinaire de faire jaillir le feu était l'appareil nommé *fusil*, composé d'un morceau de fer frappant un silex. Les marchands ambulants vendaient allumettes et fusils. Les

« ciseaux à moucher la chandelle » ne se rencontraient guère. Le Roi et ses courtisans éteignaient encore de leurs augustes doigts les chandelles d'où s'échappait une fumée infecte et noire.

Quant à l'eau, elle excitait une convoitise rarement satisfaite. Quelques hôtels, quelques collèges, quelques couvents devaient à un brevet royal, payé depuis 1598, le bienfait d'une canalisation particulière. Çà et là se remarquait un puits privé qui, mal entretenu, constituait plutôt un danger. Les personnes aisées recouraient aux porteurs d'eau, envoyaient leurs valets puiser aux fontaines publiques (une vingtaine environ, qu'alimentaient l'aqueduc de Belleville et l'aqueduc du Pré-Saint-Gervais). Les gens du peuple allaient directement à la Seine sans souci des ordures qu'elle charriait.

En moyenne, une maison bourgeoise disposait chaque jour d'une quinzaine de seaux d'eau. On conservait le précieux liquide en des récipients montés sur pied, parfois pendus à la muraille. Durant l'été, le nombre de seaux diminuait sensiblement.

On admettra aisément qu'un produit si rare ne fût point gaspillé. L'eau devait servir d'abord à la cuisine, nécessité et principal plaisir de l'existence. Il n'était pas question de la répandre sottement pour les soins du corps. Prendre un bain ne se concevait qu'en cas de maladie grave. Beaucoup de gens ne possédaient pas même une cuvette. Les serviettes de toilette étaient ignorées. On se nettoyait en se frottant, en se grattant.

Sous les Capétiens, sous les Valois, les Français trouvaient le moyen d'être propres malgré ces difficultés. Ils se rendaient aux étuves où la transpiration purifiait le corps. Hélas ! l'hygiène servit peu à peu de prétexte à la débauche. Prédicateurs catholiques et pasteurs protestants, exceptionnellement unis, dénoncèrent le scandale, les étuves devinrent synonymes de mauvais lieux ; à la fin elles durent fermer.

Restaient les ignobles officines des barbiers-chirurgiens, leurs baquets dans lesquels trempaient les malades. Les Parisiens aimèrent mieux oublier délibérément les caresses de l'eau. Le règne de Henri IV marqua l'apothéose d'une saleté qui devait attendre un siècle avant de céder du terrain.

Une saleté orgueilleuse. La poétique Reine Margot parlait en badinant de ses mains « non décrassées depuis huit jours ». Un personnage d'Aubigné voulait « qu'un vrai noble eût un peu l'aisselle sûrette et les pieds fumants ». Un médecin, Jean de Renou, donna à cet état de choses la caution de la science. Il fallait, dit-il, en citant un proverbe latin, se laver les mains, mais rarement les pieds et jamais la tête.

Son confrère, Jean Duchesne, médecin de Sa Majesté, recommandait au contraire de « nettoyer la tête de toute ordure », de « se curer les oreilles... et bien frotter les dents avec la racine préparée de guimauve qu'on trempera dans une poudre faite de corail rouge (!) ». Il poursuivait : « Il faudra après laver ses mains avec de l'eau fraîche en temps chaud et qu'elle soit tiède ou *passée par la bouche en hiver*. Pour rendre fermes et garder de tremblement lesdites mains, sera bon de mêler avec ladite eau plus de la moitié de vin où quelques feuilles de sauge auront trempé toute la nuit.... Ayant dîné, faut laver la bouche avec vin tout pur et après les mains avec l'eau ; et curer ses dents non avec le fer, mais avec cure-dent de lentisque, romarin ou tel autre bois aromatique. Mais sur toutes choses il faut après les repas rendre grâces à Dieu. »

Ces avis restaient généralement lettre morte. Les « lavandières de têtes » qui existaient depuis le XIIIe siècle manquaient de pratiques. Et pourtant le châtiment était là, continuel, puisqu'il s'exerçait par l'entremise des poux, des puces, des punaises et autre vermine. Le seigneur le subissait sous son pourpoint brodé d'or comme le mendiant sous ses haillons. Seuls, disait-on, les chartreux échappaient aux punaises en vertu d'un privilège divin.

Les gens de qualité ne conciliaient pas sans peine les bonnes manières et la résistance aux attaques imprévues de leurs parasites. Un vieux traité leur donnait d'excellents conseils :

> D'un autre point aussi je t'admoneste
> Garde-toi bien de te gratter la tête
> Devant les gens tant qu'à table seras.
> Puces et poux aussi ne chasseras,
> Ni autre bête ou méchante vermine,
> Quoiqu'en ton dos ou en ton col chemine.

C'est aux puces qu'on en voulait le moins. Ces bêtes avaient à la longue conquis le rang d'animaux familiers. On s'amusait à les dresser. « Les dames de la Cour de France et d'Espagne, écrivait Louis Guyon, font état d'en nourrir dont elles et ceux qui contemplent ce fait conçoivent un grand contentement. »

Mais il arrivait aux puces d'abuser de leur avantage. Leurs victimes se plaignaient alors à la Faculté et recevaient la prescription suivante : « Prenez beaucoup de têtes de harengs saurs attachées avec du fil, les mettez dans la paillasse du lit et elles (les puces) s'enfuiront. »

Les préceptes d'Érasme et ceux que Giovanni della Casa avait consignés en son *Galateo*, permettent de mesurer quelle régression s'était produite depuis les Valois. La Cour, sur laquelle chacun se modelait, gardait les habitudes des camps où Henri IV passa ses jeunes années.

L'abandon de la fourchette, imposée par Henri III et blâmée par les moralistes, ranimait la querelle du mouchoir.

> Enfant, si ton nez est morveux,
> Ne le torche de la main nue
> De quoi ta viande est tenue :
> Le fait est vilain et honteux.

Érasme avait tranché la difficulté en préconisant « de recevoir les excréments du nez avec un mouchoir en se retournant un peu des gens d'honneur ». Il admettait aussi que l'on crachât dans le carré de toile, mais seulement s'il était impossible de le faire en se penchant à la fenêtre, car « avaler sa salive est chose déshonnête ».

Sous Henri IV — qui, à son retour à Paris, n'en possédait pas une demi-douzaine — le mouchoir semblait surtout réservé à la parure des dames. La Belle Gabrielle en avait un magnifique, d'une valeur de 1 900 écus.

Les rudes seigneurs trouvaient ce linge ridicule. « Un gentilhomme français se mouchait toujours de sa main, défendant là-dessus son fait et était fameux en bonnes rencontres (en facéties). Il me demanda quel privilège avait ce sale excrément que nous allassions lui apprêtant un beau linge délicat à le recevoir et puis, qui plus est, à l'empaqueter et serrer soigneusement sur nous : que cela devait faire plus mal au cœur que de le voir verser où que ce fût, comme nous faisons toutes nos autres ordures. Je trouvai qu'il ne parlait pas sans raison [1]. »

Les gens n'arrivaient pas, cependant, à s'accommoder des odeurs terrifiantes qui émanaient de leurs personnes, de leurs habits (imprégnés en outre de relents chevalins), de leurs chandelles, de leurs meubles bourrés d'insectes, de leurs maisons sans égouts, de leurs villes ruisselantes d'immondices.

Ils employaient à les combattre les mêmes armes que la Reine, les parfums. Parfums véhéments, entêtants, qui saturaient les corps mal soignés des belles, la barbe, les gants, les buffleteries des hommes, les rideaux des alcôves. Le mélange devait être saisissant.

Ces êtres superbes de la post-Renaissance, une Gabrielle, un Bassompierre, images offertes à tant de rêves, étaient donc des personnages étincelants, certes, mais dévorés de vermine, répandant d'insoutenables fragrances, mangeant et se mouchant avec leurs doigts, crachant sur les parquets, passant une

1. MONTAIGNE : *Les Essais.*

partie de leur vie dans un clair-obscur et parfois en peine pour obtenir les maigres filets d'eau dont ils avaient besoin.

Les habitudes nomades de la Cour avaient leurs répercussions chez les particuliers. Beaucoup de familles modestes déménageaient tous les trois mois. Les loyers étaient chers encore que le Parlement les réduisît parfois d'un tiers ou d'un quart. « Il n'est si pauvre chambrette garnie qui ne coûte deux ou trois écus par mois, écrivait l'ambassadeur vénitien. Les maisons sans meubles coûtent moins cher.... En moins de deux heures vous pouvez garnir tout un palais magnifique en vaisselle, en tapisseries, en linge, en tout ce qu'il faut pour un ménage, qu'il soit riche ou non. » Les Grands louaient volontiers leurs hôtels quand ils s'absentaient.

Malgré les guerres civiles le luxe des intérieurs n'avait cessé de croître depuis François Ier. Tel bourgeois de qui le grand-père possédait à peine deux tasses d'argent s'enorgueillissait d'un amas de coupes, d'assiettes, d'aiguières et de bassins taillés dans ce métal. Les demeures n'étaient point rares dont l'ameublement nous éblouirait. En revanche peu de nos contemporains, fût-ce parmi les humbles, accepteraient leur absence de confort.

Qu'il s'agît d'un château ou d'un logement à chambre unique, le lit constituait la pièce centrale de la maison.

Il existait encore des « couches » immenses, larges de quatre mètres environ. On en construisait, cependant, de moins de trois mètres. Ces monuments, placés sur deux marches, flanqués de colonnes et de rideaux, surmontés d'un « ciel » ou d'un pavillon, étagés d'un dossier, étaient faits pour accueillir une nombreuse compagnie. Le maître, recevant un hôte de marque, lui demandait couramment de partager son lit, même si sa femme devait également y prendre place. Et souvent le chien venait se joindre au trio. Un lit plébéien abritait à l'occasion la famille entière.

Cependant, la chambre et le lit constituaient au premier chef les domaines de l'épouse. C'est là qu'une dame passait le plus clair de son temps, le salon étant ignoré comme la salle à manger.

Du haut de sa couche la dame trônait. Elle recevait les visites et les compliments que lui attiraient la consommation de ses noces, les naissances de ses enfants, son veuvage. En des circonstances moins solennelles elle écoutait des vers et caquetait avec des muguets, prompts, le cas échéant, à se dissimuler entre les plis des courtines. On distinguait la grande ruelle de la petite, destinée aux entretiens intimes et aux domestiques.

Près du lit patricien s'élevait fièrement le dressoir chargé des principales richesses de la famille : vaisselle plate, orfèvrerie, nef, objets précieux de toute nature. Le dressoir était transporté en chaque pièce appelée à devenir lieu de réception, comme un garant de la race et de la fortune. A l'occasion de certaines fêtes religieuses il brillait même devant le porche de la maison. Le bourgeois se contentait d'un buffet où il entassait son trésor.

Les sièges très élevés, très raides, servaient surtout à la décoration. Ils ne quittaient guère le mur devant lequel ils étaient rangés. Le fauteuil représentait une exception pompeuse. On usait de tabourets et de placets, sans accoudoirs ni dossier. A la Cour les duchesses seules avaient l'honneur du tabouret. Les autres dames s'asseyaient à l'orientale sur des coussins, des carreaux.

Sous Henri IV, l'unité de style avait disparu des vastes chambres et des étroits réduits pleins de tapisseries, de bahuts, de coffres lourdement sculptés.

Parmi ces ensembles la chaise percée n'était pas le meuble le moins élégant. On la voyait ornée, bordée de riches étoffes.

Un drap vert habillait celle de Mme d'Albret, un satin cramoisi celle du duc de Guise, une serge rouge celle de Mme de Montglat. Un dais couronnait celle des princes. Ainsi les « selles percées » et les « chaires à pisser » du duc et de la duchesse de Lorraine, revêtues d'un velours à leurs armes.

Il n'y a pas lieu de s'en étonner puisque les Grands accordaient volontiers audience tandis qu'ils occupaient ce siège. Ce fut le cas, lors de la fatale entrevue de Henri III et de Jacques Clément. L'usage devait se perpétuer jusqu'au temps de Louis XV.

Le vase de nuit se rencontrait fort peu. Il ne s'en trouvait ni dans les hôtelleries, ni dans les collèges, ni dans la plupart des châteaux dont les cheminées remplissaient son office. Posséder chez soi un « retrait » était un luxe qu'on se gardait de cacher. Les doléances de Henri Estienne demeuraient actuelles : « Quant à l'endroit de la maison qui n'est pas honnête à nommer et toutefois y est nécessaire, ils n'ont pas imité la nature, car, au lieu qu'elle a détourné si loin des yeux et du nez la plus vile et malplaisante partie du corps, ils mettent cette partie de la maison à la vue d'un chacun et comme en parade. »

Le populaire inondait les murs extérieurs d'un liquide qui corsait la composition de la célèbre gadoue parisienne.

Il est plaisant après cela de faire un bond vers le progrès et de constater qu'en matière d'horlogerie l'essentiel était déjà découvert. Du Halde, valet de chambre de Henri III, possédait un réveil. Il le mit à quatre heures du matin, le 23 décembre 1588, jour de l'assassinat de Henri de Guise. Vingt-deux horlogers prospéraient à Paris. Les horloges d'appartement, merveilles de la science et de l'orfèvrerie, indiquaient les heures, les jours, les quantièmes, voire les phases de la lune.

Il y avait des montres-bijoux en or, en argent, en vermeil, en cristal, des montres ornées de miniatures. Celle de Gabrielle était « d'or, fort belle, avec une quantité de diamants et de rubis, une grande chaîne au bout et au milieu une rose de diamants formée de triangles de rubis ». Les gentilshommes portaient la leur sur la poitrine comme un pendentif. Aucun roturier aisé n'en était dépourvu, qu'elle fût ronde, carrée, ovale, rectangulaire ou sphérique ; qu'elle eût la forme d'un cœur, d'un lis, d'une poire, d'une étoile, d'une coquille ou d'une tête de mort.

Le linge qui emplissait les placards nobles et bourgeois ne le cédait pas au nôtre en finesse, en élégance et, chose singulière, en propreté. On lui vouait des soins infinis.

« Les linges de lit et de table seront raccoutrés au moindre besoin, écrivait Olivier de Serres, prévenant leur ruine par quelque petite réparation qu'à temps on leur fera. Seront curieusement (certes!) reblanchis étant sales, *mais le plus rarement qu'on pourra* afin de les conserver longuement en bon état ; car les linges déchoient à toutes les fois qu'ils passent par la lessive. Pour lequel mal prévenir, afin d'être bien accommodé de linge, comme l'on désire, le seul moyen est d'en avoir à suffisance, dont l'on ne sera contraint de le blanchir trop souvent. »

A travers les rues des marchands ambulants criaient des cendres pour la lessive. Le fer destiné à raidir et à plisser était devenu creux au cours du XVIe siècle, grâce à quoi on y introduisait des braises incandescentes.

Les Mignons de Henri III avaient scandalisé en changeant de chemise une, voire deux fois par jour. En revanche, à peine redevenu maître de Paris, Henri IV, fier de sa virilité, montra publiquement en jouant à la paume une chemise crasseuse et déchirée. Mais son exemple ne fut pas suivi. Les belles et leurs galants se souciaient autant de leurs dessous que de leurs admirables costumes. L'état du contenant leur important plus, en somme, que celui du contenu.

La même coquetterie s'appliquait aux draps, toujours parfumés, de préférence à la rose et à la lavande. Certains courtisans du feu Roi avaient lancé les draps de taffetas noir. Cette mode durait encore.

On se préoccupait moins du linge de table qui était souvent loué. Le sieur Antoine Cozette le fournissait à une maison ducale. En échange, il percevait quotidiennement dix-sept livres, deux pains, une quarte de vin, une pièce de mouton les jours gras et une carpe les jours maigres.

***

En hiver la vie des bourgeois et des petits gentilshommes se concentrait souvent dans la cuisine, à cause de sa chaleur permanente. De toute manière il était exceptionnel de chauffer plus d'une chambre dite *chauffoir*, *chauffe-doux*. Une famille entière prenait place sur les bancs de pierre disposés à l'abri du manteau de la cheminée colossale. Les hautes flammes rendaient inutile un autre éclairage. Les tableaux de Georges de La Tour donnent une idée de l'admirable lumière, habituelle aux veillées.

L'Allemagne avait été longtemps enviée à cause de ses poêles. Bien que, depuis François Ier, Fontainebleau contînt un « pavillon des poêles », c'est seulement pendant les dernières années du XVIe siècle que la faïence, devenue moins difficile à trouver, permit d'installer bon nombre de ces précieux meubles.

Pour lutter contre la température glaciale des églises on promenait des braseros pendant les offices. « L'escaufaille de mains », boule de métal emplie de braises, secouraient les doigts engourdis du prêtre. La chaufferette était connue et la bassinoire — en argent massif si elle appartenait à une belle frileuse comme Gabrielle.

Lorsque se produisait un feu de cheminée, l'*Évangile des Quenouilles* prescrivait : « Quand vous verrez allumer la suie dedans vos cheminées, faites la moue, et, pour aussi vrai que

Évangile, elle s'éteindra du coup. » Mais on n'y croyait plus, et diverses ordonnances recommandaient les ramonages déjà confiés à des Savoyards et à des Piémontais.

Des cloches indiquaient encore le moment d'éteindre feu et lumière : celles de Notre-Dame à sept heures, celles de Saint-Germain à huit heures, celles de la Sorbonne à neuf heures. Une ordonnance de 1596 fixa le couvre-feu à sept heures depuis la Saint-Remi jusqu'à Pâques, à huit heures depuis Pâques jusqu'à la Saint-Remi. Seuls quelques couvents obéirent.

Le dispositif destiné à combattre les incendies si fréquents restait singulièrement rudimentaire. Des réservoirs installés sous les toits des monuments conservaient l'eau de pluie. Une seringue était attachée à chacun et cette seringue constituait la meilleure arme contre un embrasement. On n'en trouva même pas lorsqu'en mars 1618 le Palais de Justice prit feu (ce qui permit la destruction des dossiers relatifs à l'assassinat de Henri IV). « Les seaux, ni les cruches, ni les chaudrons qu'on apportait plein d'eau de la Seine voisine » ne suffirent à dompter les flammes.

On craignait davantage la foudre. Beaucoup de personnes s'en protégeaient en portant un morceau de corail, voire, selon le conseil d'Ambroise Paré, un panache de plumes d'aigle. Les mâts des navires avaient des extrémités protégées par du cuir de veau marin. Car la foudre ne frappait ni l'aigle, ni le veau marin, ni l'hyène, ni le crocodile, ni la tortue, ni le figuier, ni le laurier. Nul n'émettait là-dessus le moindre doute.

Il fallait être bien misérable pour n'avoir pas au moins un valet. Proportionnellement à la fortune des intéressés, valets et servantes suppléaient aux techniques absentes. Les maisons des Grands en contenaient une multitude. Comme on l'a vu, quatre-vingts d'entre eux pouvaient être malades chez Sully sans que le service en souffrît. Une partie importante de la population française vivait dans cette condition. Déjà, pourtant, les maîtres se plaignaient de la difficulté à trouver de « bons » serviteurs. « Sans les servantes, disait Olivier de Serres, les meubles dureraient éternellement. »

Depuis 1565, la profession était réglementée. L'homme et la femme désireux de l'embrasser devaient « faire apparaître à leurs maîtres par acte valable et authentique de quel part, maison et lieu » ils venaient. Ceux qui n'étaient point novices étaient tenus de montrer « suffisante attestation de leurs premiers maîtres et de l'occasion pour laquelle ils sont sortis ». Il était interdit d'engager un domestique sans certificat, interdit de le renvoyer « sans lui bailler acte de l'occasion de son congé ». Un domestique dépourvu de certificat se voyait traité en vagabond, c'est-à-dire avec la dernière cruauté.

On recrutait les valets soit à la Saint-Jean, soit à la Saint-Martin. Tantôt on leur payait des gages, tantôt on les prenait « à récompense ». Dans ce cas, les malheureux dépendaient entièrement de la générosité de leur maître, qui, d'ordinaire, leur donnait à peine cent livres par an. Ils couchaient en d'infâmes tanières, fréquemment à même le sol. Il ne faut pas s'étonner s'ils volaient régulièrement leur patron et lui jouaient à l'occasion des tours pendables.

Leur dévouement ne s'en manifestait pas moins. Il existait entre maître et valet une solidarité complice et quasi belliqueuse, totalement incompréhensible aujourd'hui, qui allait animer comme l'on sait le théâtre comique du XVIIe siècle.

Une livrée éclatante montrait de loin à qui appartenait un laquais. Cette ostentation impliquait certains risques. Aussi un seigneur de quelque importance avait-il des valets uniformément vêtus de gris, des « grisous ». Ceux-là servaient aux conspirations, aux intrigues et aux amours.

IV

LES PLAISIRS

COMMENT parler des plaisirs sans évoquer d'abord ceux de la table ?

Joseph Duchesne, médecin déjà cité de Henri IV, proscrivait le déjeuner du matin. Il recommandait que le dîner eût lieu entre dix et onze heures et qu'ensuite la compagnie « se contînt à table sans en bouger une bonne demi-heure pour le moins en devis agréables. Le souper à six heures. Puis, sur les neuf heures en été, il sera temps d'allumer chandelles et penser à s'aller coucher à dix ».

Sa Majesté respectait ces consignes. Mathurin Régnier précise qu'à

> midi sonné
> Au logis du Roi tout le monde a dîné.

Les bourgeois ne se mettaient guère à table avant cette heure-là.

Il est difficile de comparer à la nôtre une vie où la moindre distraction prenait pour les classes moyennes l'importance d'un événement. Cette détente, ce moment joyeux indispensables pendant la journée à tout homme occupé, le repas était à peu près seul à les fournir. Le repas qui, même chez les paysans, conservait une manière de solennité. Les tableaux de Le Nain sont éloquents à cet égard. Le naturaliste Belon admirait la « majesté » des Français à table.

Comme nul ne l'ignore, les menus avaient de quoi nous

effarer. Quels produits y trouvait-on ? Oublions les tristes panades des ruraux, la fâcheuse graisse de baleine aux pois, dite craspois, dite lard de carême, principale nourriture des pauvres pendant cette période.

Les riches aimaient les « potages », composés de viandes et de poissons bouillis avec des légumes (il y en avait quatre sortes sous Henri II, il y en eut cent vingt-trois au temps de la Fronde). Les ragoûts étaient à peine moins nombreux. S'ils évitaient en général le paon, le cygne, le héron, passés au rang d'éléments décoratifs, les gourmets se délectaient des pintades, des dindes, des poulets, découverts pendant le XVIe siècle, des corneilles aux choux (plat très prisé), d'innombrables oiseaux et, depuis 1560 environ, du gibier jeune longtemps dédaigné (perdreaux, levreaux, etc.).

Ils mangeaient tous les poissons d'eau douce, les saumons, les soles, les turbots, les tortues, les raies, les sardines, les harengs (très recherchés), les crevettes. Ils mangeaient les escargots, frits, bouillis, à la brochette ; les grenouilles, les couleuvres, les hérissons. Les huîtres triomphaient à peine de la défiance qu'elles avaient inspirée. Les légumes étaient méprisés sauf les truffes et les artichauts aphrodisiaques, les navets, les choux qui prévenaient la calvitie, donnaient du lait aux nourrices, guérissaient l'asthme, la rage, la goutte et la paralysie.

Les fromages sur lesquels le brie maintenait sa suprématie, les fromages étaient fort goûtés, et les prunes, les abricots — surgies les unes et les autres au cours du siècle — les cerises, les fraises, les pêches, les poires, les pommes dont les ménagères usaient aussi pour embaumer leur lingerie. Il eût été malséant de croquer une pomme le jour de Noël : à cause du malheur d'Adam et d'Ève.

Les treilles de la rue Beautreillis portaient un merveilleux raisin comme les célèbres vignes de Thomery. On abandonnait aux paysans ces « fruits de ronce », les framboises.

Les variétés de gâteaux ne se comptaient pas, mais il ne s'agissait point de plats sucrés. Seule « la neige de crème », aïeule des œufs à la neige, pouvait prétendre à ce titre. Le sucre restait un ingrédient de haut luxe. Lorsqu'il figurait sur quelque noble table, on en saupoudrait même la viande. Les pauvres connaissaient seulement le miel.

Si les Français de ce temps buvaient moins que leurs aïeux (Montaigne l'affirme), ils buvaient encore beaucoup. Joseph Duchesne s'en indignait : « Le débordement est aujourd'hui si grand et la gueule et l'ivrognerie si communes et si usitées qu'on fait un dieu de la panse. »

La Faculté hésitait à ranger une « saoulerie » périodique parmi les excès funestes ou les préventifs utiles. Mathurin Régnier tranchait :

« Un jeune médecin vit moins qu'un vieil ivrogne. » Le docte Joseph Dubois conseillait à ses malades de s'enivrer au moins une fois par mois.

Depuis François Ier les rois buvaient surtout du vin de Champagne. Celui d'Ay était renommé au point que Henri IV acceptait le titre de Sire d'Ay. Celui d'Orléans avait la réputation d'être trop capiteux. Le maître d'hôtel royal devait jurer de n'en jamais servir à Leurs Majestés.

On estimait alors les vignobles de Picardie, de Bretagne et de Normandie, ces derniers atténuant quelque peu la malédiction dont le Ciel, selon la rumeur publique, avait accablé les Normands sous la forme du cidre. La cervoise suppléait à la bière : il lui manquait seulement le houblon.

Le règne du Vert Galant vit se répandre le goût des liqueurs et de deux mélanges venus d'Italie : le *populo* et le *rossolis.* Le rossolis exigeait trois semaines de préparation.

On aimait boire frais en été, tiède en hiver. Il arrivait qu'on mît le vin sur le feu ou qu'on y trempât une barre de métal rougi.

Observons l'ordonnance d'un repas chez des personnes de qualité.

Avant l'arrivée des convives la table est toute garnie de mets disposés en des plats couverts (non pour les tenir au chaud, mais à cause de la vieille crainte du poison). De là l'expression « mettre le couvert ». L'usage de se laver les mains n'est plus guère respecté qu'à l'occasion des festins solennels. On passe alors une eau parfumée. S'il en manque le vin y supplée.

> Sur ce point on se lave et chacun en son rang
> Se met sur une chaise ou s'assied sur un banc
> Suivant ou son mérite, ou sa charge, ou sa race [1].

Comme aujourd'hui l'hôte s'installe au centre de la table que l'aumônier bénit. On récite le bénédicité.

Les assiettes d'argent ont succédé (c'est assez récent) aux tranchoirs de pain. Une cuiller se trouve à la disposition de chacun. En revanche deux ou trois couteaux doivent suffire à la compagnie. Point de fourchettes, évidemment, ni de verres. Les verres sont rangés sur le buffet. Qui voudra boire appellera un valet. Celui-ci emplira un verre, le présentera, le replacera quand il sera vide, de manière à ne pas le faire changer de possesseur.

Si les serviettes de toilette appartiennent à l'avenir, les serviettes de table sont couramment employées. Les voici pliées savamment en forme de fruits, d'oiseaux, de navires.

Les convives se les attachent au cou. « Nouer les deux bouts de sa serviette » comporte de sérieuses difficultés : il en naîtra une expression applicable à un équilibre financier précaire : « arriver à joindre les deux bouts ».

La serviette est changée autant de fois qu'il y a de services. A l'entremets on change aussi la nappe. Usages fort compréhensibles chez des gens habitués à manger avec leurs doigts. Le prince de Guéméné a coutume de faire jaillir les sauces

1. Mathurin Régnier : *Satires.*

jusqu'à son chapeau clouté de diamants. Il arrive aux goinfres de se mordre les phalanges. Pour savourer les mets semi-liquides, on plonge sa cuiller dans le plat, comme le font les soldats dans la gamelle.

Les couteaux sont à manche d'ébène pendant le carême, à manche d'ivoire le jour de Pâques, mi-partie d'ébène et d'ivoire à la Pentecôte. La vaisselle d'or et d'argent, admirablement travaillée, porte les armoiries de la famille. Elle représente la « réserve », le « placement sûr » qui devrait mettre à l'abri des surprises financières. Hélas! les rois besogneux ne se font pas scrupule de la réquisitionner.

Henri IV encourage la faïence, crée des manufactures à Paris et en province, donne des statuts à la corporation des faïenciers. Dans les dernières années du règne apparaissent des services complets en faïence qui, malheureusement, résistent mal à la turbulence des pages et à la brutalité des laquais.

Il n'y a aucun ordre fixe pour le défilé des plats. En principe les potages, fricassées, hachis et salades ouvrent la marche. Les rôtis et bouillis les suivent. S'il s'agit d'un festin, arrive l'entremets, c'est-à-dire un grand oiseau ornée de ses plumes avec bec et pattes dorés. Le dessert lui succède et les « fruitages, laitage, douceurs ».

On se défie à boire, on se porte des santés à un rythme qui persiste au XXe siècle en certains pays nordiques. Ne point répondre est une offense impardonnable.

Une coutume fort répandue consiste à mettre au fond du verre une croûte de pain grillée. On dit *rôtie, toustée* ou *tostée* (du verbe *torrere*). Le verre passe de main en main jusqu'à celle du convive en l'honneur duquel on boit. C'est lui qui mange la *tostée*. Tout cela formera l'expression moderne « porter un toast », fort peu britannique, comme on voit. En 1600 on ne parle déjà plus de *carrousser* et de faire *carrousse*, mais de *trinquer* et de *boire à tire-larigot*.

On chante :

Puisque nous sommes tous sevrés
Buvons donc de ce bon pot
Et, rinçant nos gosiers, avalons nos miettes.
Et vuide le pot
Tire-la-rigot.

Le repas terminé, il convient de dire les grâces. L'animation, la gaieté bachique mènent souvent à oublier ce devoir.

D'aucuns allument une pipe encore appelée *cornet*. L'herbe à Nicot est connue depuis 1560. Olivier de Serres la vante : « Le fumée du petun mâle, dit aussi tabac, prisé par la bouche avec un cornet à ce approprié est bonne pour le cerveau, la vue, l'ouïe et les dents. »

Henri IV ne manifeste pas cette boulimie qui, à partir de Louis XIV, deviendra caractéristique des Bourbons. Sa jeunesse a été frugale. Pendant qu'il conquérait son royaume, il s'invitait parfois chez quelque seigneur plus riche que lui, notamment chez M. d'O, surintendant des Finances, où l'on servait « des tourtes de vingt-cinq écus composées de musc et d'ambre ».

La victoire acquise, le Béarnais rend son prestige à « la bonne chère du Louvre ». Mais ses meilleurs repas sont improvisés, soit qu'il apporte à son maître d'hôtel Parfait le produit de sa chasse, soit qu'il dévalise les cuisines de Sully pendant les apprêts d'un banquet trop cérémonieux.

***

On connaît les divertissements de la Cour et des Grands : les bals, les tournois, les courses de bague, les cartes et les dés, le jeu de paume. Il faut y ajouter les détestables combats de bêtes particulièrement chers à François Ier et à Charles IX.

Henri III, à la suite d'un songe, ordonna de massacrer les

fauves de sa ménagerie. Henri IV en reconstitua une. Le Dauphin, enfant, poursuivit à travers les Tuileries les animaux lâchés devant lui. On faisait lutter des lions entre eux, des ours et des taureaux contre des dogues. Loin de disparaître, ces tristes réjouissances allaient, au cours du XVIIe siècle, être offertes au peuple même.

Ce bon peuple ne manquait point de loisirs pendant lesquels il aurait pu s'amuser, au moins dans les villes. Mille circonstances servaient de prétexte au chômage. Il y avait les fêtes patronales : de la corporation, de la paroisse, du maître, de la femme du maître, de l'ouvrier et de sa femme. Il y avait les mariages, les baptêmes, les communions, qu'ils eussent lieu chez le maître ou chez l'ouvrier ; les entrées solennelles des souverains ; et, bien entendu, les innombrables fêtes religieuses. Beaucoup de métiers cessaient le travail dès la chute du jour, ce qui, en hiver, diminuait fort leur activité.

Mais ces heures oisives restaient généralement vides. Aussi quelle ruée provoquait une fête publique ! Les Parisiens aimaient spécialement les feux de joie qu'allumaient soit les pouvoirs municipaux, soit des particuliers pour commémorer une date, un événement.

Le soir du 23 juin, veille de la Saint-Jean, la population entière envahissait la rue. Un arbre de dix toises (environ douze mètres) était planté sur la place de Grève. On l'entourait d'un prodigieux bûcher après hélas ! y avoir pendu des sacs contenant une douzaine de chats. Le bourreau possédait le privilège d'élever des tribunes autour du bûcher et d'en louer les sièges.

A sept heures, les trompettes sonnaient, les musiciens de la maison du Roi attaquaient un brillant morceau, l'artillerie tonnait au point de briser les vitres de l'Hôtel de Ville, un feu d'artifice illuminait le ciel.

Le prévôt des marchands et les échevins arrivaient, la tête couronnée de roses. En 1598, Sa Majesté parut elle-même, la taille ceinte « d'une écharpe d'œillets blancs et d'autres belles fleurs ». Le prévôt, ayant fait trois fois le tour du bûcher, « prit une torche ardente de cire blanche et, s'étant prosterné à genoux, la présenta au Roi qui la prit et avec elle alluma le feu ».

Le bûcher s'enflammait, puis l'arbre, et les acclamations retentissaient, mêlées aux horribles cris des bêtes brûlées vives. Aucun plaisir ne satisfaisait pleinement s'il ne s'accompagnait de victimes torturées. Tel était alors (avant la lettre) le sadisme populaire.

La municipalité offrait un banquet suivi de bal, baillait aux manants un muid de vin et six douzaines de pains. D'autres bûchers s'allumaient devant les principales églises. La fête se propageait de quartier en quartier. Elle durait jusqu'à l'aube.

Comme on l'a déjà mentionné, la férocité des citadins s'épanouissait à l'occasion d'une exécution, d'un supplice. Le pilori avait ses spectateurs fidèles. Les tourments sauvages et raffinés auxquels étaient soumis des régicides tels que Jean Chastel rendaient la multitude hystérique. Quand Ravaillac eut été mis en pièces, la foule délirante se partagea son corps. Un garde fit cuire un membre sous les fenêtres de la Reine!

Il y avait heureusement des spectacles plus édifiants. Et d'abord les processions dont la plupart comportaient une mise en scène raffinée. A Aix-en-Provence, le jour de la Fête-Dieu, la jeunesse défilait, divisée en trois classes et menée par des chefs élus ; d'abord les nobles ayant à leur tête le Prince d'Amour ; puis les garçons des corporations et métiers que précédait l'Abbé de la Jeunesse ; enfin, les clercs derrière le Roi de la Basoche. A Saint-Maixent, les Coqs ou petits écoliers étaient passés en revue avant une fête publique pleine de danses, de beuveries et de mascarades.

Le jour de la Saint-Michel, les pâtissiers, célébrant leur patron, prenaient les apparences des anges ou des diables. Ils chevauchaient au bruit du tambour jusqu'à la chapelle Saint-

Michel de l'église Saint-Barthélemy. Celui qui pénétrait là le premier était vêtu en saint Michel. Il tenait une grande balance, symboliquement destinée à peser les âmes, et tirait après soi un démon enchaîné. Lequel démon faisait des efforts comiques pour se libérer, non sans jouer mille tours aux curieux.

Un spectacle permanent était celui de la rue avec ses bateleurs, ses faiseurs de tours, ses montreurs d'animaux savants. Des charlatans en tous genres, mêlés à des bouffons, formaient des troupes qui paradaient en habits multicolores. Guillot Gorju, Bruscambille commencèrent ainsi leur carrière. Christophe Contugi, dit l'Orviétan, qui vendait cette panacée, animait une véritable compagnie sous le masque du Capitan Spaccamonte.

* * *

Il y avait deux cent trente-cinq libraires parisiens à la fin du règne dont soixante nouveaux depuis l'année 1606. C'était beaucoup, car les gentilshommes ne lisaient guère et le menu peuple point du tout. Les principales maisons qui cumulaient l'impression, l'édition et la vente des livres se groupaient rue Saint-Jacques. Citons la Compagnie du Grand Navire, ainsi nommée à cause de sa marque typographique, Sébastien Cramoisy, imprimeur de la Société de Jésus, futur directeur de l'Imprimerie Royale, les Ballard, détenteurs du privilège d'imprimer la musique, Jacques Mettayer, imprimeur ordinaire du Roi, auquel revient l'honneur d'avoir publié la *Satyre Ménippée.* Henri II Estienne, protestant, avait quitté la France pour Genève. Il mourut néanmoins à Lyon en 1598.

Les éditions importantes étaient dues à des associations de libraires, seul moyen d'éviter le pillage érigé en coutume au sein de la corporation. Il était fréquent en effet de voir rééditer par un confrère un ouvrage à succès. Les quatre grands libraires jurés, qui, sous le contrôle de l'Université, visitaient les imprimeries, restaient impuissants devant le relâchement général.

La concurrence étrangère ne sévissait pas d'une façon moins déloyale. Les Elzevir, typographes admirables, étaient des contrefacteurs. La maison des Plantin [1], Français établis à Anvers, pratiquait le « dumping », inondait le marché d'ouvrages à bas pris. En quarante ans ils éditèrent seize cents volumes et eurent une influence considérable.

Aux catalogues figuraient surtout les œuvres des illustres auteurs grecs et latins. On y trouvait aussi force récits de voyage. Peu de nouveautés. Les écrivains enviaient les artistes, infiniment mieux payés. En revanche l'activité des presses hollandaises leur assurait une large diffusion.

Montaigne était un *best seller*. En 1609, *L'Astrée*, dont il sera ultérieurement parlé, connut un des plus retentissants succès de l'histoire littéraire.

La nouvelle imprimée, lointaine aïeule de nos journaux, était née de Gutenberg et de la poste. Elle traitait des sujets très divers, signalait les phénomènes naturels, comètes, éruptions, inondations, décrivait les miracles et les beaux crimes, annonçait les événements politiques et militaires. La France la voyait surgir beaucoup moins souvent que l'Allemagne ou l'Italie. En revanche, les placards, les pamphlets, les libelles foisonnaient. La nouvelle manuscrite continuait aussi d'être répandue.

Tout cela sous l'œil malveillant des pouvoirs publics qui intervenaient fréquemment contre ces dangereux véhicules d'idées subversives.

Depuis la fin du XVIe siècle, Cologne possédait un périodique semestriel. Les premières gazettes parurent à Augsbourg et à Strasbourg dès 1609, bientôt après en Hollande. Les Anglais

1. Plantin était mort en 1589. Sa succession avait été recueillie par son gendre Moret.

apprenaient les nouvelles par des *Relations*. Leur affliction fut grande à la mort de Henri IV, héros protestant dont l'abjuration leur avait été soigneusement cachée. Le premier *Mercure français* contant les événements survenus depuis 1605 devait paraître en 1611.

Les humanistes pouvaient donc se régaler de bonnes lectures, mais la foule curieuse ne recevait du monde que de rares échos.

***

Le théâtre avait accompli des progrès décisifs au cours du XVIe siècle. Outre les Mystères qui se déroulaient encore sur les places, des représentations étaient données dans les châteaux, dans les collèges, voire dans certaines abbayes. En 1595 les religieuses de Saint-Antoine, dont l'abbesse était Mme de Thou, tante de l'historien, jouèrent la *Cléopâtre* de Garnier devant les abbés de Cîteaux, de Clairvaux, de Morimond, de Pontigny et de La Ferté. Saint-Antoine se situait à mille lieues du jansénisme près de naître !

Les jésuites, en leurs maisons d'éducation, favorisaient la comédie et même le ballet. Jean Béhourt, directeur du collège des Bons-Enfants à Rouen, organisait chaque année un spectacle auquel se pressait la bonne compagnie de la ville. Le 7 septembre 1597, il présenta une *Polixène* avec chœurs, le 2 août 1598 un *Esaü et le Chasseur*. Les auteurs composaient des tragédies imitées des Grecs, des comédies ou plutôt des farces inspirées de Plaute et des Italiens.

1599 fut une date importante. Cette année-là, Valeran Lecomte, chef d'une troupe nomade, loua l'Hôtel de Bourgogne. Son associé, Alexandre Hardy, allait en un tiers de siècle lui fournir six cents pastorales, tragédies et tragédies-comédies. Lecomte payait chaque pièce trois pistoles.

Alexandre Hardy manquait de génie, mais il eut le mérite « de s'adapter au goût du public et en même temps de le dégrossir. Il ne put le faire que parce qu'il sut attirer ce public d'une façon suivie, l'attacher par une production ininterrompue, variée, destinée non à la bibliothèque des lettrés, mais au feu de la rampe, comme nous dirions aujourd'hui [1] ».

Son orgueil n'était pas injustifié lorsqu'il proclamait :

« Quant au théâtre français, chacun sait s'il m'est redevable ou non. »

Saluons donc au passage « sa pauvre muse vagabonde et flottante sur un océan de misères ».

La « grande pièce » était précédée d'un prologue et suivie d'une farce, de chansons délibérément ordurières, interprétées dans le genre de la *comedia dell'arte* par des artistes dotés d'une personnalité puissante : Bruscambille, déjà nommé, Gaultier Garguille, bien d'autres.

Leurs admirateurs qui cherchaient d'abord le « désopilement de la rate » côtoyaient sans douceur des personnes en quête de plaisirs intellectuels. Ces vrais amateurs de théâtre supportaient patiemment une affreuse promiscuité et risquaient leur bourse pour jouir de leur divertissement favori. Ainsi s'explique, au moins en partie, la phrase si souvent citée de Tallemant de Réaux : « La comédie n'a été en honneur que depuis que le Cardinal de Richelieu en a pris soin. Avant cela les honnêtes femmes n'y allaient point. »

Jugement trop sommaire. La vérité n'y trouve pas son compte. L'*Euphormion* de Jean Barclay, publié en 1603, montre les loges pleines de dames masquées. En 1607 la Cour entière accompagna Leurs Majestés à l'Hôtel de Bourgogne. La pièce traitait des querelles de ménage. Henri IV et Marie de Médicis n'avaient cependant nul besoin de leçons sur ce chapitre.

Les dames venaient pour la grande pièce. Elles évitaient le complément du spectacle, trop brutal. Ce qui ne les empêchait

1. G. FAGNIEZ : *La Femme et la Société française dans la première moitié du XVIIe siècle.*

point de rentrer chez elles « avec la confusion d'une personne honnête qui n'avait pu éprouver une jouissance de l'esprit sans ressentir en même temps un léger trouble des sens ».

Les gens de qualité occupaient donc les loges dressées au-dessus des galeries. Au lieu de payer leur place, tels seigneurs criaient impérieusement leur nom et leurs domestiques faisaient de même.

Une cohue composée de laquais, de pages, de soldats, de commis, de clercs et, dans une large proportion, de voleurs, envahissait le parterre. Il était midi. Or le spectacle débutait seulement vers deux heures. Pendant cette longue attente la canaille, surexcitée, se livrait à de si fâcheux désordres qu'un édit de 1609 — fort mal respecté — ordonna de commencer une heure plus tôt.

Les pouvoirs publics autorisaient la satire des classes inférieures. En revanche, le « téméraire auteur » qui s'attaquait aux puissants de ce monde courait des risques sérieux.

La vogue du théâtre rencontrait de vigoureuses résistances, surtout chez les provinciaux. En 1607 le Parlement de Toulouse interdit à ses membres de paraître au spectacle. En 1609 celui de Bordeaux, soucieux de protectionnisme, expulsa une troupe parce qu'elle glanait un argent destiné à sortir de la ville.

Objets de scandale pour l'Église, les comédiens n'étaient à peine mieux considérés que les filous et les filles publiques. Au vrai la plupart d'entre eux menait une vie fort peu exemplaire. Deux farceurs, Gaultier Garguille et Turlupin, surprirent en étalant de véritables vertus bourgeoises. Turlupin ne permit jamais à son épouse de se produire devant les chandelles allumées.

Il était encore remarquable qu'une femme se compromît de la sorte. Les Italiennes avaient donné l'exemple, notamment l'illustre Isabelle Andréini, morte en 1604, et dont, lors de sa jeunesse mouvementée, Concini jouait les rôles en travesti.

Marie Vénier, mariée à Mathieu Lefebvre, passe pour avoir été la première comédienne française. Elle appartint à de nombreuses compagnies avant de se fixer à l'Hôtel de Bourgogne en 1613.

Les jolies créatures commençaient à marcher, nombreuses, sur ses traces. Il leur arrivait de tourner la tête à des gentilshommes qui, oubliant tout, prenaient l'habit de Léandre ou d'Arlequin et empruntaient le chariot de Thespis afin de les suivre.

Le jeune abbé d'Armentières, futur marquis de Lavardin, adora une beauté de l'Hôtel de Bourgogne, la Valiotte. Quand elle perdit ses charmes, il l'arracha au théâtre. Quand elle mourut, il fit de son crâne une relique.

V

LA SANTÉ

LE 20 DÉCEMBRE 1590, mourut à soixante-treize ans (et non à quatre-vingts, comme le dit L'Estoile) Ambroisé Paré, « chirurgien du Roi, homme docte et des premiers de son art ».

L'humanité lui devait beaucoup, surtout dans le domaine de la chirurgie. En 1545, la *Méthode de traitement des plaies faites par les hacquebutes* (arquebuses) *et autres bâtons à feu* avait marqué l'ouverture d'une ère nouvelle. Combien de guerriers, grâce à Maître Ambroise, conservaient la vie ou, du moins, tels de leurs membres! Avant lui la cautérisation ne s'effectuait qu'au fer rouge, voire à la poix bouillante. Malgré leur fabuleuse endurance (Catherine de Médicis se laissa trépaner sans dire un mot), les gens du XVIe siècle ne furent pas fâchés de voir abandonner cette méthode en faveur de la ligature des artères.

Les innovations du chirurgien royal en matière de hernies n'étaient pas si facilement admises. En vain Ambroise Paré avait-il dénoncé les opérateurs qui coupaient « les coïllons » aux garçons. Il aurait voulu préserver « des parties qui sont nécessaires à la génération... et qui mettent la paix en la maison... à telle enseigne que le mot de *hargne* a été donné à cette maladie parce que ceux qui en sont vexés, coutumièrement sont hargneux, c'est-à-dire malplaisants et criards ».

Jean Bodin, au contraire, prônait la castration, non seulement en cette circonstance, mais en beaucoup d'autres. « Les châtrés, disait-il, ne sont sujets aux varices, surmontent tous les autres hommes en prudence, sont exempts de la lèpre.... » La chose était discutée à propos de la lèpre, mais, quant au reste, la Faculté donnait raison à Bodin contre Paré. La castration continua d'être communément pratiquée jusqu'à la fin du XVIIIe siècle.

En revanche, on louait fort Maître Ambroise d'avoir inventé la seringue. Jadis les clystères s'administraient « avec une manche ou poche de cuir qui, pour le mieux, devait être de peau de chat qui est plus moufle que nulle autre ; l'on commençait à replier la manche par un bout et l'on continuait de la replier et entortiller ; et en cette sorte le liquide coulait doucement. Mais cette façon est plus longue et moins commode que la seringue qui, depuis, a été trouvée, avec laquelle un homme seul donne aisément le clystère [1] ». L'instrument n'a pas eu besoin d'être perfectionné.

Paré avait encore imaginé un excellent système pour opérer ses malades de la cataracte ; il avait, grâce à ses expériences — dont l'une, dramatique, sur un cuisinier de Charles IX —, sérieusement ébranlé la réputation du *bézoard*, cette concrétion calcaire trouvée dans le corps des animaux et à laquelle fut longtemps attribuée la valeur d'un préservatif universel. Pourtant le bézoard gardait ses fidèles, surtout s'il provenait d'un bouc oriental.

« Dieu, affirmait Laurens Catelan, n'a pas départi un plus efficacieux antidote contre toutes sortes de venins et de maladies contagieuses.... Les venins s'inclinent et s'approchent de ladite pierre, comme l'héliotrope se tourne toujours vers le soleil, la palme mâle vers sa femelle, le poisson remora (variété de maquereau) vers le navire, le poisson orbis (diodon) contre le vent, quoique mort, farci de bourre et pendu au plancher des maisons. »

1. PAULIN PARIS : *Les Manuscrits français de la Bibliothèque du Roi.*

Héroard, médecin du Dauphin, lui donna en 1606 six talismans contenant du bézoard.

En 1597, Bodin exaltait encore les larmes de cerf. Il fallait, à vrai dire, que ces larmes fussent « converties en pierre après cent ans à l'angle de l'œil ». Paré n'avait pas cru à ces fétiches, ni aux langues de serpent, ni à la corne de licorne.

Nous sommes surpris après cela de voir l'illustre chirurgien cautionner les maladies magiques, admettre l'interdépendance des organes humains et des signes du zodiaque. Selon cette doctrine, due à Corneille Agrippa, les planètes exerçaient également une influence déterminante : le soleil sur le cerveau, le cœur, les cuisses, les moelles, l'œil droit ; Mercure sur la langue, les mains, les jambes, les nerfs ; Saturne sur le sang, les veines, les narines, le dos ; Vénus sur la bouche, les reins, les organes génitaux.

En ce qui concernait l'autorité d'Hippocrate, « la plus sûre, la plus certaine et la plus excellente de toutes » depuis deux mille ans, Ambroise Paré s'était gardé de la combattre. Il ne l'aurait sans doute pas osé, même s'il en avait eu la tentation. La Faculté, idolâtre du maître grec, adoptait, entre autres, sa manière de considérer l'action des jours pairs et impairs. Elle enseignait que la fièvre, « si elle ne quitte pas le malade dans les jours impairs, est sujette à récidiver » et que « le mal qui a commencé son cours par les jours pairs ne manque jamais de finir de même ».

Les saints ont de tout temps été invoqués par les malades, mais, à cette époque, leurs compétences respectives étaient définies avec une précision remarquable : 123 d'entre eux pouvaient secourir un patient contre les fièvres, 53 contre la peste, 49 contre les maux de tête, 47 contre les maux d'yeux, 15 contre les rhumatismes, 23 contre la goutte, 18 contre les coliques, 20 contre la pierre, 37 contre l'épilepsie....

Le peuple ne connaissait beaucoup de maladies que par les saints chargés de les guérir : saint Antoine avait attaché son nom à l'érésypèle, saint Quentin à la toux et à l'hydropisie, saint Gilles au cancer, saint Gildas à la folie, sainte Reine à la gale.

Il est normal qu'Ambroise Paré n'ait pas émis d'objection à cela ; plus surprenant qu'il se soit abstenu d'ébranler le prestige thérapeutique de l'or et des pierres précieuses.

Un homme exclusivement nourri d'or deviendrait immortel : c'était encore sous Henri IV un article de foi. Jean de Renou avait longuement détaillé les vertus des pierreries. Le rubis « est grandement cordial et résiste à toute pourriture et venin » ; le saphir « réjouit le cœur et guérit les ulcères des intestins »; l'émeraude « peut non seulement préserver du mal caduc tous ceux qui la portent au doigt enchâssée en or, mais aussi fortifier la mémoire et résister aux efforts de la concupiscence charnelle. Car on récite qu'un roi de Hongrie étant aux prises amoureuses avec sa femme sentit qu'une belle émeraude qu'il portait en son doigt se rompit en trois pièces durant leur conflit, tant cette pierre aime la chasteté » ; le grenat « porté ou avalé, nuit au cerveau, esmeut le sang et provoque à colère » ; le lapis-lazuli, « étant lavé et préparé comme il faut, purge l'humeur mélancolique. Que si j'étais superstitieux, ajoutait le savant, je croirais avec plusieurs autres écrivains qu'il rend aimable, riche et bien heureux celui qui le porte, mais, passe, je n'en crois rien ».

Le vif-argent « enfermé dans un tuyau et placé sur l'estomac » était souverain contre la peste. « Se lier un diamant au bras senestre » garantissait des morsures de toute bête sauvage.

On recourait, néanmoins, à des médicaments moins coûteux. Ambroise Paré lui-même conseillait d'en chercher « dans les parties des bêtes et excréments d'icelles ».

« Depuis que les excréments desdits animaux ont aussi leurs particulières vertus, il n'est pas messéant au pharmacien d'en tenir dans sa boutique et particulièrement la fiente de chèvre, de chien, de cigogne, de paon, de pigeon, de musc, de civette et les poils de certains animaux. »

L'oculiste Jean Liébaut, mort en 1596, attestait : « L'eau distillée de fiente d'homme roux est souveraine pour les fistules, rougeurs et obscurités d'yeux, pour ôter la taie des yeux, étancher les larmes.... Et afin que cette eau ne soit puante, tu y pourras mêler un peu de musc ou de camphre. »

Il était depuis longtemps admis que le sang de lièvre guérissait la pierre, les crottes de souris, la gravelle, le cloporte bouilli, les écrouelles. Les frictions à la graisse humaine soulageaient en principe les rhumatismes. L'essence d'urine servait à la fois contre les vapeurs, l'épilepsie, l'apoplexie. Mme de Sévigné devait recommander de la prendre en gouttes.

Les sternutatoires rendaient d'excellents offices : l'ellébore, le muguet, le gingembre délayé dans l'eau-de-vie en tenaient lieu. Un collier de langues de chien faisait disparaître les chancres de la bouche. Le docte Jérôme de Monteux ordonnait à ses malades « de s'oindre les reins et les génitoires le plus chaudement que faire se pourra » avec du sang de renard, afin de soulager la vessie. Il professait :

« Pour garder que la femme mariée ne s'abandonne à autre que son mari lui faut donner à boire secrètement le foie d'une hirondelle brûlé et mis en poudre et mêlé de vin. » « Se peigner souvent d'un peigne d'ivoire divertit et attire à la superficie du cuir (chevelu) les vapeurs qui nuisent à la vue. »

Près de tels confrères, Ambroise Paré figure un authentique prince de la Science et, cependant, il porte la responsabilité écrasante d'avoir approuvé, patronné, le plus meurtrier peut-être des disciples d'Esculape, Leonardo Botalli, inventeur de la *fréquente saignée.*

Botalli était un Piémontais qui devint médecin de Charles IX et de Henri III. Il tenait un raisonnement lumineux : « Plus on tire de l'eau croupie d'un puits, plus il en revient de bonne ; plus la nourrice est tétée par son enfant, plus elle a de lait ; le semblable en est du sang et de la saignée. » Donc il fallait saigner, saigner encore : les jeunes gens au moins une fois par mois, les vieillards environ six fois par an. Cela s'entendait, bien entendu, pour les bien-portants. Les malades ne s'en tiraient pas à si bon compte.

La Faculté montra d'abord quelque réticence. Rien à craindre, lui affirma le Piémontais : « Le corps humain contient vingt-quatre livres de sang (!) et l'on peut en perdre vingt sans mourir ; on se tient donc dans une limite raisonnable dès qu'on en laisse un peu au patient. »

La Faculté s'inclina : Ambroise Paré, cédant à la folie générale, se vanta d'avoir saigné un garçon vingt-sept fois en quatre jours.

« J'ai bien voulu, dit-il, réciter cette histoire afin que le jeune chirurgien ne soit timide à tirer du sang aux grandes inflammations. »

Les chirurgiens ni les médecins ne se montrèrent timides. L'un d'eux, A. de Corbye, écrivait fièrement en 1590 : « Maintenant nous saignons des enfants à trois ans et avant trois ans, voire réitérons la saignée avec heureuse issue ; et les hommes de quatre-vingts ans la portent fort bien. »

En 1609 le sieur Le Moyne affirma avoir en quinze mois tiré douze cents palettes de sang (225 livres) à une jeune fille.

A la fin du règne, l'effrayante doctrine avait atteint son plein développement. En étroite union avec celle de la purge à outrance, elle commençait d'exercer ses ravages qui, au cours du XVIIe siècle, devaient changer maintes fois le cours de l'histoire. Combien de personnages considérables allaient à cause d'elle disparaître prématurément : Louis XIII, Richelieu, Mazarin, parmi tant d'autres!

C'étaient les barbiers et les chirurgiens qui répandaient ces flots de sang. Surtout à Paris. En province circulaient les humbles inciseurs, moins conformistes, plus efficaces. « Ces vrais précurseurs de la chirurgie actuelle, rien ne les étonne, rien ne les arrête. Le sac au dos, sac qui contient leur léger bagage et quelques grossiers instruments, ils vont de village en village, tendant une main secourable à tous ceux qui souffrent.... Ils réduisent les hernies, abaissent les cataractes, extraient les pierres de la vessie, châtrent les hommes et les animaux, appliquent le trépan, incisent les fistules. Ils osent tout et le succès vient souvent couronner leur audace [1]. »

La taille de la pierre constituait depuis Henri II le secret et le monopole de la famille Colot ; la remise en place des os « disloqués et rompus » ceux de la famille Bailleul.

Quant à la syphilis, on savait déjà la soigner par le mercure. Les sujets du Vert Galant, au moins dans la dernière décennie avaient cessé d'être ces agités en qui bouillonnaient les poisons du « mal de Naples », si caractéristiques de l'époque Valois.

Jean Pidoux, médecin de Sa Majesté, avait eu la bonne fortune de guérir à Pougues la « colique pierreuse » de l'évêque de Nevers. Depuis, les eaux de Pougues connaissaient une vogue considérable. On prenait aussi les eaux de Forges et les eaux de Plombières. Les ancêtres de Diafoirus disputaient à perdre haleine pour décider s'il n'était pas dangereux de prendre les eaux de Plombières pendant les années bissextiles.

***

Les personnes affligées d'une mauvaise vue avaient cette chance que, dès le Moyen Age, on connaissait les lunettes. Henri IV en possédait. Pendant ses crises de mélancolie, il frappait l'étui contre sa cuisse.

Ceux qui souffraient des dents étaient moins heureux. Certes, on devait à Ambroise Paré — toujours lui — des obturateurs fort secourables aux malades atteints de perforations palatines et de becs-de-lièvre. On employait l'or à boucher les dents royales. Paré destinait des substances diffé-

1. A. Franklin : *Paris au XVI*e *siècle.*

rentes aux simples mortels. « Si les dents sont creuses, on doit les remplir de liège ou de plomb bien accommodé.... Quand elles sont tombées, en faut adapter d'autres d'os ou d'ivoire ou des dents de rohart (requin) qui sont excellentes pour cet effet, lesquelles seront liées aux autres dents proches avec fil commun d'or ou d'argent. »

Louis Guyon déclarait possible le remplacement d'une dent gâtée par une autre dent intacte. La prothèse existait. Mlle de Gournay avait un appareil complet formé de dents de « loup marin » qui sauvait l'ordonnance de son visage et lui facilitait la parole. Mais il n'était pas question de s'en servir pour mastiquer. « A table, dit Tallemant, quand les autres parlaient, elle ôtait son râtelier et se dépêchait de doubler les morceaux et après elle remettait son râtelier pour dire sa râtelée. »

Ces progrès n'avaient pas éliminé d'étranges pratiques. Une recette ordinaire encore qu'assez bizarre contre les rages dites migraines de dents, restait en vigueur : « se faire tondre les cheveux et y traire lait de nourrice qui allaite une fille ».

La dent d'une taupe ou d'un serpent endormait la douleur. Du moins on le disait. Olivier de Serres conseillait plutôt le coton imbibé d'huile, les essences de poivre, de girofle, de sauge, de pavot, de jusquiame et particulièrement de mandragore.

Il y avait deux sortes de dentistes : les chirurgiens placés sous l'égide de saint Côme et saint Damien et qui tenaient boutique ; les charlatans qu'on trouvait dans les foires, dans les marchés et sur les tréteaux du Pont-Neuf. Ceux-là attiraient les clients grâce au tumulte d'une parade foraine à laquelle ne manquaient ni les bateleurs, ni le chant, ni la danse, ni les énormes plaisanteries. Les mieux achalandés disposaient d'une véritable troupe de comédiens. Le bruit d'une fanfare couvrait les cris des patients.

L'arsenal des dentistes était nettement inférieur à celui des

Romains. Les chirurgiens sérieux se conformaient aux préceptes suivants : « Premier, devant qu'arracher les dents, il faut que le malade soit assis bas, ayant la tête entre les jambes du dentateur ; puis qu'il les déchausse profondément d'alentour les alvéoles avec déchaussoir et, après les avoir déchaussées, si on voit qu'elles tiennent peu, seront poussées et jetées dehors avec un poussoir. »

Les charlatans promettaient toujours des extractions sans douleur. Certains d'entre eux ne mentaient pas : ils mettaient au bout de leurs doigts un narcotique puissant dont hélas! l'effet post-opératoire faisait tomber les dents saines, provoquait des fluxions et autres dégâts.

En 1593, Jacques Hortius, doyen de l'Académie Julia, causa une sensation profonde : il annonça à la Faculté qu'un garçon silésien de sept ans « s'était vu pousser une dent en or ».

La Faculté commit un expert qui accomplit un long voyage pour vérifier ce prodige. Voici un extrait de son rapport : « Étant la chose véritable et vue par beaucoup de gens, je n'ai voulu faillir de la raconter.... Beaucoup de princes, seigneurs et autres l'ont vue.... D'autres ne font cas de miracles lesquels font a comparer au Cyclope d'Euripide, mais nous, avec tous les Chrétiens, attribueront à Dieu la merveilleuse création de cette dent en la bouche de ce garçon silésien. »

Ceux qui montraient l'enfant moyennant finances recueillirent beaucoup d'argent. Il était plus fructueux alors de simuler un miracle que de publier une découverte : le chirurgien allemand, responsable de cette aventure, venait en réalité d'inventer la couronne dentaire.

***

Malgré la science, la magie et les miracles, la mort fauchait terriblement. Comme il n'existait ni journaux, ni lettres de faire-part, des crieurs s'en allaient par la ville annoncer la nouvelle si le défunt était homme de quelque importance. Ils « criaient le corps », indiquaient le jour et l'heure du service funèbre. Depuis le milieu du XVIe siècle, les crieurs formaient une corporation équivalant assez exactement à nos entreprises de pompes funèbres.

Les misérables devaient se contenter du cercueil banal qui revenait vide du cimetière et recevait chaque jour une autre dépouille. Pire encore était le destin ultime des infortunés morts à l'hôpital : on les enfouissait en masse pendant la nuit, chacun cousu en une serpillière. Leur cimetière, dit de Clamart, appartenait à l'Hôtel-Dieu et se trouvait au faubourg Saint-Marcel.

Les Grands et les riches accomplissaient leur dernier voyage avec pompe. Les crieurs fournissaient la voiture qui, précisément sous Henri IV, prit le nom de corbillard parce qu'on appelait les croque-morts des corbeaux. Jusque-là le mot corbillard désignait le coche d'eau menant à Corbeil. Un grand nombre de pauvres suivaient le convoi, la torche à la main. La famille les habillait entièrement de drap noir. Aucune femme ne paraissait jamais aux enterrements.

Après la cérémonie avait lieu un banquet, même chez les humbles. Au festin qui suivit les obsèques d'un grand bourgeois, ses amis désolés burent cent soixante pintes de vin et dévorèrent vingt douzaines de petits pains, six carpes, six perches, trois grands brochets, cinq soles, deux cents moules, cent cinquante écrevisses, trente-cinq œufs frais, vingt livres de beurre, une montagne de pâtisseries.

Lorsque le Roi ou une personne considérable avait rendu le dernier soupir, on moulait son corps. L'effigie de cire recouverte d'habits magnifiques était exposée sur un lit de parade. Celle de Gabrielle d'Estrées fut coiffée d'une couronne ducale, enveloppée d'un manteau de drap d'or ; celle de son royal amant vêtue d'un pourpoint de satin cramoisi rouge, d'une robe de velours violet fleurdelisée et doublée d'hermine.

Pendant les huit ou dix jours de l'exposition, les repas étaient servis dans la pièce comme si la mort n'avait point passé. « Les mêmes personnages qui avaient accoutumé de parler ou répondre audit seigneur y prenaient part. » On faisait le simulacre de servir le défunt.

L'effigie de Henri IV précéda le cercueil pendant la marche vers Saint-Denis. A chaque carrefour, vingt-quatre crieurs lançaient le *cri* : « Nobles et dévotes personnes, priez Dieu pour l'âme de très haut, très puissant et très excellent prince Henry le Grand, par la grâce de Dieu Roi de France et de Navarre, très chrétien, très auguste, très victorieux, incomparable en magnanimité et en clémence, lequel est trépassé en son palais du Louvre. Priez Dieu pour qu'il reçoive son âme. »

La douleur submergeait la nation. Plusieurs personnes moururent de chagrin. Depuis les princes jusqu'aux derniers bourgeois chacun prit des vêtements noirs et habilla ses domestiques de même. La France entière porta le deuil de son Roi.

VI

CROISADE CONTRE LA BARBARIE

Les personnages du XVIIe siècle proprement dit furent des fauves tenus en laisse par le christianisme. Les petits-fils de la Renaissance étaient, eux aussi, des fauves, mais la religion ne leur imposait qu'un collier fort lâche. Stendhal aimait cela :

« Les guerres de la Ligue, a-t-il écrit, sont les temps héroïques de la France. Alors chacun se battait afin d'obtenir une certaine chose qu'il désirait, faire triompher son parti et non pas gagner une croix. Il y avait moins d'égoïsme et de petitesse [1]. »

Il se dépensait en vérité plus d'efforts, de courage, d'intelligence pour garder une place au soleil qu'aujourd'hui pour réussir une grande carrière. Une sorte de frénésie animait ces gens, avides de puissance, d'amour, d'argent et surtout d'aventures. Point d'oisiveté, point de scrupules, point de compromis. Point de famille sans chronique scandaleuse, sans exploit légendaire.

Convaincus qu'il leur fallait *gagner* leur vie comme on gagne une bataille, tous se lançaient à corps perdu dans leurs entreprises. L'existence même d'un bourgeois fourmillait d'événements romanesques, car les petits imitaient les Grands. Les passions atteignaient une véhémence jamais égalée. Donner

1. *Le Rouge et le Noir.*

ou recevoir la mort était un jeu qui se jouait chaque jour avec ivresse. Le bonheur paraissait fade s'il n'avait été conquis de haute lutte. Une ardeur sauvage jetait les hommes les uns contre les autres. Aucun plaisir ne valait celui des combats, la vaillance était la seule vertu indispensable, l'épée la seule protectrice de l'honneur, la seule pourvoyeuse de gloire. Rechercher cette tranquillité, ce repos auxquels aspirent tant de nos contemporains malgré leur effervescence, aurait paru le comble de la bassesse ; laisser une offense impunie le comble de l'abjection. De 1585 à 1603 sept mille duellistes ayant tué leur adversaire reçurent des lettres de grâce. L'opinion, impitoyable aux faibles, applaudissait les beaux crimes.

Tant qu'elle dura, la Cour des Valois mit dans ce tableau tumultueux les grâces suprêmes d'une civilisation près de mourir. En 1589, il ne resta plus aucun contrepoids à la violence et à la grossièreté, aucun frein devant ces tempéraments dont la vigueur, l'énergie, la brutalité sont à peine concevables. Quand le Béarnais prit possession du Louvre, l'Espagne commençait son âge d'or, l'Angleterre voyait l'ère élizabéthaine toucher au zénith, l'Italie demeurait le sanctuaire de la politesse et de la culture. En regard, la société française offrait l'image d'une « barbarie » telle que le royaume de François Ier n'en avait pas connu depuis le haut Moyen Age.

Il est piquant d'observer ces hommes et ces femmes vêtus comme des personnages de contes qui cédaient à leurs impulsions sans la moindre retenue. Un incident de la circulation ayant emmêlé les équipages du prince de Conti et du comte de Soissons à la Croix du Trahoir, il fallut consigner ces deux cousins chez eux, car leur fureur aurait pu déchaîner une petite guerre civile.

M. de Luxembourg, mécontent de certaines lenteurs procédurières, en accusait un maître des requêtes : « Il lui sauta au collet avec la dague nue en la main, mais le coup fut retenu par un de ses gentilshommes. »

Aux obsèques de Henri IV « les gourmades et horions donnèrent la préséance à ceux qui surent mieux s'aider des pieds et des mains [1] ».

Un prêtre italien, parlant à Mlle de Gournay d'un ami commun, s'écria :

« C'est un vrai gentihomme français ! »

Il voulait dire : « C'est un fou. » La bonne demoiselle s'en affligea. « D'où vient, se demanda-t-elle, que la noblesse française soit la moins rassise communément que le reste du monde ? » Elle se répondit à elle-même : « La première raison est le pouvoir et l'audace que cette épée qui pend au côté des nobles leur suscite, pouvoir de qui peu d'esprits se gardent de s'enivrer, s'ils ne sont pas timbrés en perfection. La seconde est une certaine coqueluche et contagieuse fantaisie qui s'est glissée en eux par émulation, de croire qu'ils font les jolis, les illustres et les chefs de bande en une Cour et par les provinces, s'ils usurpent et s'ils frappent sur un pauvre paysan ou simple bourgeois, s'ils médisent des premiers venus entre les plus mal armés pour la revanche [2]. »

La passion du duel contribuait à enfiévrer les relations sociales. On multipliait intentionnellement les propos injurieux, les impolitesses innombrables qui permettraient une rencontre, sinon un meurtre. La mort de l'antagoniste représentait la solution normale à tous les différends.

On pourrait croire que le duel, étant un plaisir, un sport, se pratiquait avec une courtoisie chevaleresque. Mais point. Les ferrailleurs manifestaient une rage sanguinaire contre laquelle ne prévalait même pas la simple loyauté.

M. de Talhouet, blessé, demanda la vie à son adversaire M. de Brézé qui, la lui ayant accordée, poussa la candeur jusqu'à vouloir relever le vaincu. Talhouet ne manqua point

1. L'Estoile : *op. cit.*

2. *Avis,* chapitre de la *Néantise des communes vaillances de ce temps et du peu de prix de la qualité de la noblesse.*

d'en profiter pour lui enfoncer son poignard dans le cœur. Le chevalier de Guise tua M. de Luz sans lui laisser le loisir de dégainer.

On admirait de telles prouesses. Foeneste exaltait les « raffinés d'honneur » qui se battaient « pour un clin d'œil, si on ne les saluait que par acquit, pour une froideur, si le manteau d'un autre touche le leur, si on crache à quatre pieds d'eux ». Le Roi leur montrait, on l'a dit, beaucoup de complaisance, et, selon Fontenay-Mareuil, cette attitude ne fut pas étrangère à la colère divine dont il devait ressentir les terribles effets. Il perdit en tout cas beaucoup de sa popularité lorsqu'en 1609 il interdit enfin le duel.

Henri IV excitait la noblesse à se livrer aux exercices physiques, à rechercher les plaisirs violents où l'esprit n'a point de part. Il prêchait d'exemple et ne pouvait souffrir « ceux qui aimaient trop leurs aises, les appelant efféminés et le leur reprochant en toutes occasions ». Pluvinel flattait le maître quand il proclamait :

« Un bel homme sur un beau cheval est la plus belle et la plus parfaite figure de l'humanité que Dieu ait mise sur la terre. »

Absorbés par le soin d'augmenter leur force et leur agilité, les gentilshommes ne s'égaraient ni dans les préoccupations intellectuelles ni dans l'étude des manières galantes. Leurs plaisirs portaient toujours la marque du reître, du soudard. Les fêtes dégénéraient en orgies, les banquets en bagarres d'ivrognes.

Les mascarades, très à la mode, servaient de prétextes aux pires excès. En 1595 le duc de Guise et ses commensaux saccagèrent la Foire Saint-Germain. Le jour du Mardi-Gras 1605, MM. de Sommerive et de Nemours, parcourant les rues, assommaient les passants à coups de « bourrelets ». Bassompierre et ses amis coururent aussitôt s'armer de cordes à puits. Une bataille rangée eut lieu entre les deux troupes.

Les ballets de Cour comportaient plus de bouffonneries indécentes que de gracieuses évolutions. Le grotesque dominait la beauté. En janvier 1610, MM. de Vendôme, de Cramail et de Termes parurent en hibou, en pot-de-fleur, en moulin à vent. A ce ballet dit du Dauphin, furent débattus en termes orduriers les articles du mariage entre Guillemin Tribard et Paquette Courtalon, habitant la paroisse de Croqueminois.

On aimait les farces, souvent scatologiques, parfois meurtrières. Henri IV, voulant plaisanter sa première femme, la Reine Margot, fit danser le ballet de « la Vieille Cour » où cette fille de France était proprement insultée.

Marguerite de Valois prisait, il est vrai, les plaisanteries rabelaisiennes. Sa légende lui valait encore des adorateurs. « Un gentilhomme gascon, nommé Salignac, devint éperdument amoureux d'elle, mais elle ne l'aimait point. Un jour, comme il lui reprochait son ingratitude : « Or çà, lui dit-elle, que « feriez-vous pour me témoigner votre amour? — Il n'y a rien « que je ne fisse, répondit-il. — Prendriez-vous bien du poison? « — Oui, pourvu que vous me permissiez d'expirer à vos « pieds. — Je le veux! » reprit-elle. On prend jour : elle lui fait préparer une bonne médecine bien laxative. Il l'avale et elle l'enferme dans un cabinet après lui avoir juré de venir avant que le poison opérât. Elle le laissa là deux bonnes heures et la médecine opéra si bien que, quand on lui vint ouvrir, personne ne pouvait durer autour de lui [1]. »

L'héroïsme galant — si mal récompensé — du pauvre Salignac était une exception. Mlle de Gournay se plaignait que l'esprit et le cœur fussent devenus étrangers à l'amour.

L'évêque de Verdun séduit une religieuse, sœur de M. de Vatan, l'épouse, l'abandonne et revient à son diocèse. Le Roi lui donne des gardes pour le protéger contre la vengeance de Vatan.

1. TALLEMANT DES RÉAUX : *op. cit.*

Une nuit, le marquis de Braignes entre clandestinement à l'hôtel de Nemours, enfonce la porte de Mlle de Sennecterre, viole cette personne un peu mûre et disparaît.

Au milieu d'un bal, M. de Brégis veut embrasser sa danseuse. Elle refuse, il la presse, elle le soufflette, il lui arrache sa coiffure.

M. de Pierrefort enlève de vive force Mlle de Fontanges. Le père le poursuit, assiège son château avec des canons, l'oblige à rendre sa proie.

Un beau jeune homme sans fortune arrivant à la Cour cherchera d'abord une dame qui l'entretienne. On le moquera fort s'il n'y parvient.

Bien entendu, chacun se vante à grand bruit de ses bonnes fortunes. Les faveurs secrètes ne sont point appréciées. A cet égard les choses ont fort empiré depuis Montaigne qui écrivait déjà : « Les entretiens ordinaires des assemblées et des tables ce sont les vanteries des faveurs reçues et libéralités secrètes des dames. Vraiment c'est trop d'abjection et de bassesse de cœur de laisser aussi fièrement persécuter, pétrir et fourrager ces tendres et mignardes douceurs à des personnes ingrates, indiscrètes et si volages. » Le duc de Guise, « ayant recherché une dame fort longtemps et enfin étant couché avec, le matin de bonne heure il avait de l'inquiétude et ne faisait se retourner de côté et d'autre. Elle lui demanda ce qu'il avait :

« C'est, dit-il, que je voudrais déjà être levé pour l'aller « dire [1]. »

La crudité du langage répondait à la brutalité des actions. Les plus jolies femmes, les enfants royaux employaient un vocabulaire que l'on croirait propre à la Cour des Miracles. Sully était « le plus sale homme du monde en paroles ». Des expressions ordurières, obscènes pullulaient dans les chansons, les poèmes, et jusque dans les sermons. Il est impossible de

1. TALLEMANT DE RÉAUX : *op. cit.*

citer les termes familiers à certains prédicateurs, surtout lorsqu'il s'agissait de vitupérer l'hérésie.

« Notre jeune noblesse d'aujourd'hui est aussi mal embouchée qu'elle est sotte et malaprise », se lamentait L'Estoile. Hélas! les âmes recevaient comme une éclaboussure de cette grossièreté. Il y avait des voleurs bien nés qui, pour ne pas déroger, s'en prenaient à leurs pairs et qu'on nommait des *tire-soie*. Tels voyageurs de qualité, quittant l'hôtellerie où ils avaient passé la nuit, emportaient serviettes de table et pots d'étain. Extorquer de l'argent à un bourgeois ne nuisait aucunement à une réputation patricienne, bien au contraire.

Beaucoup de Grands croyaient leur honneur sauf lorsqu'ils avaient payé leurs dettes de jeu. Leurs autres créanciers méritaient des coups de bâton. Les dettes de Bassompierre atteignaient le total fabuleux de seize cent mille livres!

On disait avec fatalisme du comte d'Auvergne, fils naturel de Charles IX, « qu'il eût été un parfait gentilhomme s'il eût pu se défaire de cette humeur d'escroc que Dieu lui avait donnée ».

***

La réaction commença de bonne heure. Il restait des survivants de l'époque Valois qui ne se pliaient pas aux nouvelles mœurs. Le duc de Bellegarde offrait un exemple des raffinements disparus. On le moquait un peu, mais son prestige subsistait.

Bassompierre, ayant connu l'Espagne, en conservait une galanterie dont ses valets mêmes se trouvaient imprégnés. L'un d'eux, voyant une dame traverser l'infecte cour du Louvre sans porte-queue « courut la prendre (la traîne) ne voulant pas qu'on pût dire qu'un domestique de M. de Bassompierre avait laissé une dame dans l'embarras ». Le futur maréchal l'éleva au rang de valet de chambre. « On appelait des « Bassompierres » ceux qui excellaient en bonne mine et en propreté [1]. » Et pourtant l'esprit célèbre du Don Juan lorrain ne manquait pas de lourdeur. Qu'on en juge! Affectant d'être amoureux de la Reine, Bassompierre aurait voulu, prétendait-il, devenir Grand Pannetier « parce qu'on couvrait pour le Roi ». Il ajoutait gracieusement :

« Il y a plus de plaisir à le dire qu'à le faire. »

M. de Vendôme lui demandant avec les nuances du langage de Cour :

« Vous serez sans doute du parti de M. de Guise, puisque vous b... sa sœur ? »

Il répliqua :

« Cela n'y fait rien : J'ai b... toutes vos tantes et je ne vous aime pas plus pour cela. »

Tel était un des seigneurs les plus délicats de France.

Aux femmes revint véritablement l'honneur de commencer la croisade contre la « barbarie ». Mal à l'aise chez le Roi, la duchesse de Guise, la duchesse de Rohan, Mmes de Villeroy, de Cimiez, de Saint-Nectaire, de Rivery formèrent en leurs hôtels des cercles où les plaisirs n'étaient pas ceux du Louvre.

Ainsi commença une vie mondaine, ainsi refleurit — timidement d'abord — une politesse qu'exigeait une intimité de bon ton entre hommes et femmes.

On sait à quel point la relative liberté des Françaises contrastait avec la condition de leurs voisines d'outre-monts. « Elles (les femmes) sont presque recluses en Italie et en Espagne, devait écrire Huet, et sont séparées des hommes par tant d'obstacles qu'on les voit peu et qu'on ne leur parle presque jamais ; de sorte qu'on a négligé l'art de les cajoler agréablement parce que les occasions en étaient rares : l'on s'applique seulement à surmonter les difficultés de les aborder et cela

1. Tallemant de Réaux : *op. cit.*

fait qu'on profite du temps sans s'amuser aux formes ; mais, en France, les dames vivent sur leur bonne foi et, n'ayant point d'autre défense que leur vertu et leur propre cœur, elles s'en sont fait un rempart plus fort et plus sûr que toutes les clefs, que toutes les grilles, que toute la vigilance des duègnes ; les hommes ont donc été obligés d'attaquer ce rempart par les formes et ont employé tant de soin et d'adresse pour le réduire qu'ils s'en sont fait un art presque inconnu aux autres peuples. [1] »

Aux premières années du XVIIe siècle on se trouve encore bien loin de ce « terme parfait d'une lente évolution », mais l'impulsion initiale est déjà donnée.

En 1605 la Reine Margot, regagnant Paris après vingt ans d'exil, rassemble en sa magnifique résidence du quai Malaquais les musiciens, les philosophes et les poètes dont elle ne saurait se passer. Mlle de Sennecterre — indignement traitée par M. de Braignes — accueille à l'hôtel de Nemours les diplomates étrangers et règne sur l'ébauche d'un salon politique. Mlle de Gournay a ses fidèles qui ne craignent pas, en s'aidant d'une mauvaise corde, de grimper jusqu'à son grenier de la rue Saint-Honoré. La vicomtesse d'Auchy, qui inspire à Malherbe une passion brûlante, attire les poètes. Hélas ! son mari, furieux de cette fantaisie et des impertinences des rimeurs, la ramène sans pitié à son château féodal de Saint-Quentin.

1606 est l'année décisive. La marquise de Rambouillet, fuyant l'odieuse cohue qui gravite autour de Leurs Majestés, s'installe rue Saint-Thomas-du-Louvre en un hôtel voué dès lors à l'immortalité. Sa chambre bleue, si souvent décrite, ne s'ouvre pas encore devant les hommes de lettres. Ce sont de grands seigneurs, de grandes dames choisies parmi les plus « aimables » qui distraient de sa langueur la future Arthénice et commencent la réputation de sa demeure.

1. HUET : *De l'Origine des Romans.*

Presque en même temps, une protestante, beaucoup moins noble et moins riche, Mme des Loges, devient le centre d'un groupe surtout composé de réformés où brillent les Rohan et le très catholique duc de Nevers. Selon Conrart, Mme des Loges est « la première personne de son sexe à avoir écrit des lettres raisonnables ».

La décence, le beau langage, la curiosité intellectuelle, le goût de l'Antiquité se développent peu à peu dans les réunions auxquelles président ces Égéries et préparent leur revanche sur la brutale ignorance de l'entourage royal. Les femmes commencent discrètement leur règne : elles le marquent en imposant la bienséance.

A défaut de changer les âmes, la bienséance va transformer le comportement et, à la longue, le mode de vie d'une classe sociale.

« Elle n'est pas incompatible avec ce qui est beau, vrai ou bien, mais elle en est indépendante. Elle n'est pas toujours attachée à la vertu. Elle s'accorde avec le vice qui se cache et même avec certains défauts qui se donnent libre cours lorsqu'ils sont de nature à apporter de l'agrément à la vie de société. Elle est essentiellement mondaine : ses prescriptions, toutes inspirées du monde, n'ont en vue que le monde ; elles fixent la façon dont, en toutes circonstances, le monde, juge souverain, exige qu'on se comporte.... La bienséance exerce une autorité impérieuse et sans secousse sur l'être entier qui n'est plus *quelqu'un* mais *d'après quelqu'un, d'après son groupe.* Elle a commencé par être la raison... elle finit par être un tyran. C'est elle, vraiment, qui a gêné les libres manifestations des impulsions naturelles, réduit ou violé les satisfactions imposées aux sens, introduit un peu d'ordre dans le chaos des mœurs [1]. »

La bienséance devient une loi et une loi ne peut rester orale trop longtemps. Il faut des textes. Les Lycurgue du bon goût

1. M. Magendie : *La Politesse mondaine et les Théories de l'Honnêteté en France.*

compulsent, répandent la *Civilité* d'Erasme, le *Galateo* de Giovanni della Casa, déjà cités, *Le Courtisan* de Castiglione. Vers 1605, Du Souhait et Louis Guyon font œuvre originale en écrivant, l'un *Le Parfait Gentilhomme*, l'autre les *Diverses Leçons*. La minutie de Guyon est grande. Un chapitre entier expose « la situation qu'on doit tenir pendant qu'on dort tant pour la civilité que pour la santé ».

Il est très incivil de parler la nuit si l'on s'éveille ; inconvenant de ronfler. « Il vaudrait presque autant coucher en l'étable des pourceaux » qu'auprès de compagnons affligés de cette mauvaise habitude. Ces personnes auraient dû, un quart d'heure avant le coucher, se gargariser avec du vinaigre chaud. Louis Guyon conclut : « Je persuade aux pères, mères, pédagogues et autres qui ont charge de jeunes enfants et encore tendrelets de les contraindre et accoutumer dès leur enfance à se coucher en honnête et due situation ; et, outre que c'est chose salubre, c'est aussi une grande civilité. D'être mauvais coucheur j'en ai vu advenir beaucoup de débats et querelles et souvent entre le mari et la femme. »

Peu de temps après la mort de Henri IV, les jésuites publient sous le titre de *Bienséance de la Conversation entre les Hommes* une adaptation française du *Galateo* qui fixe les préceptes remis en honneur au cours de la décennie précédente. Parmi d'innombrables recommandations sur le respect dû à la religion, sur les préséances, sur la manière de se vêtir, sur la tenue à table, il est prescrit « de ne pas porter la main à une partie du corps qui ne soit ordinairement découverte, de ne pas hurler en bâillant, de ne pas regarder son mouchoir, de ne pas arroser de sa salive la personne à qui l'on parle, de ne pas se préparer en présence d'autrui à satisfaire les besoins intimes, de ne pas cracher fort au loin, ni derrière soi, mais à côté, médiocrement loin et non vis-à-vis de son compagnon ».

Et voici un sage conseil au chapitre de la conversation : « Ne parle en langage inconnu ou que tu ne sais pas bien, n'était en cas de nécessité pour être mieux entendu, mais parle ta langue naturelle comme la parlent les gens d'honneur de ta ville et non comme la lie du peuple ou comme les chambrières. »

***

La littérature allait apporter un concours décisif aux premières « femmes du monde » et aux moralistes.

L'*Amadis de Gaule*, code chevaleresque de la noblesse pendant la seconde moitié du XVIe siècle, avait beaucoup perdu de son prestige. La traduction du *Don Quichotte* le jeta au néant. Lui verrait-on des successeurs ? Le succès de la croisade était à ce prix. Seuls des livres capables de toucher un vaste public pourraient populariser les froides vertus prônées par la bonne compagnie, leur fournir des modèles armés des séductions indispensables.

Parmi les auteurs que tenta cette louable entreprise, il faut citer Nervèze et des Escuteaux auxquels on doit des romans sentimentaux, édifiants, chrétiens : *Les Religieuses Amours de Florigène et de Méléagre ; Les Infortunées et Chastes Amours de Filiris et d'Isolia ; La Victoire de l'Amour Divin sous les Amours de Polydore et de Virginie (divisée en sept journées).*

Ces amours ne ressemblaient guère à celles du Vert Galant et de ses familiers. Elles chantaient des hymnes à la chasteté, à la religion, à tous les beaux sentiments. Leur récit contenait « un manuel de savoir-vivre adapté à une génération qui avait le désir de se perfectionner, mais dont la pauvreté intellectuelle exigeait des concessions et des ménagements [1] ».

Ces ouvrages eurent un certain retentissement. Mais il n'en fut plus question lorsqu'en 1609 Honoré d'Urfé publia son *Astrée*. A peu près illisible aujourd'hui comme le sont la plupart des livres qui ont eu une influence déterminante sur l'évolu-

1. M. MAGENDIE : *op. cit.*

tion des sociétés, *L'Astrée* allait faire les délices de trois générations et leur imposer sa marque. Saint François de Sales devait l'admirer comme Boileau, Mme de Sévigné comme le cardinal de Retz.

C'était un guide complet, sûr, varié, destiné à cette vie mondaine qui venait de naître, qui voulait s'épanouir et dont rêvaient les esprits d'élite. C'était aussi un manuel d'amour en cinq tomes où s'affirmait la différence entre l'âme et le corps : « Le corps n'est que l'instrument de l'âme... il ne voit, ni n'entend, mais c'est l'âme qui fait toutes ces choses, de sorte que, quand nous aimons, ce n'est pas le corps qui aime, mais l'âme.... L'âme doit aimer l'âme qui est son égale et non le corps qui lui est inférieur. » Cependant les bergers du Lignon ne sacrifiaient pas les plaisirs charnels aux joies métaphysiques. On a dit qu'après être partis vers les sommets de l'amour pur ils s'arrêtaient à mi-côte.

Ils n'en présentaient pas moins de merveilleux exemples. Céladon voulait « mourir mille fois plutôt que de faire la moindre faute contre ce que doit un homme qui aime parfaitement ». Aristandre, mourant d'amour pour Silvie, suppliait son frère indigné de ne pas blasphémer et d'aller baiser les mains de la cruelle dès qu'il aurait fermé les yeux.

Les Astrée, les Rosanire, les Bellinde et autres Célidée exerçaient sur leurs adorateurs un pouvoir tel qu'une colère, une méchante parole, une simple froideur suffisaient à tuer ces malheureux ou à leur ôter la raison.

Le règne de la femme en devenant public prenait l'aspect d'un despotisme impitoyable, mais il faut se rappeler quelle pente devaient remonter les champions de la galanterie.

Le livre d'Urfé avait d'autres mérites que d'offrir un idéal aux couples amoureux. Il prêchait la courtoisie (mot-sésame constamment employé, appliqué même aux éléments), les manières « honnêtes », l'abnégation, « la plus noble des vertus que l'amour inspire ». Il prouvait « la valeur de la culture intellectuelle, de la pénétration et de la souplesse de l'esprit, de la correction du langage, ... de tout ce qui ennoblit l'esprit et le cœur de l'homme, de tout ce qui l'affine, le polit, le civilise ». Il exaltait la raison et la volonté.

Il répandait aussi un grand nombre de connaissances, élémentaires certes, et cependant peu familières aux nobles ignorantins du Louvre. L'auteur utilisait une documentation pour laquelle les meilleurs esprits du siècle eurent une véritable considération. Son roman joua ainsi le rôle d'un ouvrage de science amusante. Il remua beaucoup d'idées. Il posa enfin les fondements d'une morale dont l'écho se retrouve en maintes pages illustres de la période qui suivit. « Si la raison conçoit... la beauté de ce qui est honnête et si la volonté est fermement décidée à atteindre cet idéal, quel obstacle pourrait l'arrêter ?... Persévérer en ce qui nous contrarie, c'est en quoi nous faisons voir que nous sommes raisonnables et non sensuels. »

Henri IV, souffrant d'une crise de goutte, se fit lire *L'Astrée* le soir même du jour où Charlotte de Montmorency le jeta dans une passion fatale. Il fut conquis, rêva de pureté, s'imagina en héros pastoral aux pieds de la jeune déesse.

Le Vert Galant reprit vite l'avantage sur Céladon, mais une foule d'autres lecteurs ne voulurent plus s'arracher à l'univers qui venait de leur être dévoilé.

La barbarie encore triomphante avait reçu un coup mortel.

VII

L'AMOUR

LE RÈGNE approchait de sa fin lorsque les « honnêtes gens » se mirent à consulter la Carte du Tendre et à porter du taffetas vert céladon. Il continuait, cependant, à voir flamboyer les passions furieuses dont il n'avait cessé d'être illuminé.

La Vénus Anadyomène et non la Vénus Uranie chère à Honoré d'Urfé tenait le sceptre depuis cinquante ans. L'appétit des sens, la jalousie, la coquetterie, l'esprit de provocation et l'esprit de vengeance étaient au paroxysme. Les combats, les enlèvements, les assassinats, le poignard, le poison, parfois le bourreau servaient de cortège à l'amour.

La famille royale aurait bien ri des contraintes que le XIXe siècle a imposées aux têtes couronnées. La Reine Margot, bientôt sexagénaire, se voyait encore inondée du sang d'un de ses amants tué par un jaloux. La fille de la duchesse de Mayenne recevait des galants avant d'avoir atteint l'âge (cependant si tendre) du mariage. Le duc, son beau-père, en fit égorger un ou deux.

La princesse de Conti avait un enfant de Bassompierre. Ses aventures ne se comptaient pas. « On dit que, comme elle priait M. de Guise, son frère, de ne jouer plus, puisqu'il perdait tant : « Ma sœur, lui dit-il, je ne jouerai plus quand « vous ne ferez plus l'amour. — Ah! le méchant, reprit-elle, « il ne s'en retiendra jamais [1]! »

1. TALLEMANT DES RÉAUX : *op. cit.*

Pas une femme ne résistait à Bellegarde (qui ne dédaignait pas non plus l'autre sexe). Sur le point d'être mis à la Bastille, Bassompierre brûla six mille lettres d'amour.

Le maréchal, plus tard connétable de Lesdiguières, avait pour maîtresse Marie Vignon, fille d'un fourreur de Grenoble et mariée au drapier Aymon Mathel. Cette petite bourgeoise devait, disait-on, son bonheur aux enchantements du cordelier Nobilibus, brûlé pour sorcellerie. Elle quitta le domicile conjugal, mena un train glorieux, se fit donner le titre de marquise de Treffort. Elle gouvernait impérieusement Lesdiguières, renvoyait ses rivales à coups de bâton.

Mais ce n'était pas assez. L'ambitieuse prétendait épouser le maréchal, chose impossible tant que vivrait son drapier de mari. Un double hasard, l'absence de Lesdiguières appelé en Picardie et la rencontre d'un colonel piémontais nommé Alard, lui fournit le moyen d'atteindre son but.

Le Piémontais tomba, en effet, amoureux de la marquise. Marie lui accorda ses faveurs à condition qu'il tuât l'importun. C'était là un de ces pactes auxquels un homme d'honneur ne se dérobait pas. Alard, ayant été comblé, assassina le pauvre Mathel d'un coup de pistolet « accompagné de quelques coups d'épée ». Identifié peu après par un berger, témoin de l'agression, il fut arrêté à Grenoble. Mais Lesdiguières, gouverneur du Dauphiné, accourut ventre à terre, « entra dans la ville sans qu'on l'y attendît, alla d'autorité délivrer le Piémontais et le fit sauver en même temps ». Trois ans après, la veuve criminelle épousait le dernier Connétable de France.

Citons en regard Mlle de Castellane-Altoviti, dite Mlle de Marseille, qui renonça à tout pour devenir la maîtresse du duc de Guise et qui, abandonnée, mourut de chagrin. « On ne lui trouva qu'un sou de reste. »

Julienne d'Estrées, sœur de Gabrielle, marquise, puis duchesse de Villars, « avait les yeux petits et la bouche grande, mais sa taille, ses cheveux, son teint, étaient incomparables ».

Elle se plaisait à porter un habit extraordinaire : chapeau à plume, pourpoint et haut-de-chausses avec une petite jupe de gaze par-dessus « de sorte qu'on voyait tout au travers ».

Le père Henry de la Grange-Palaiseau, capucin, vint prêcher l'Avent au Havre dont M. de Villars était gouverneur. Dès le premier sermon, Julienne perdit la tête. Elle adopta un nouveau costume qui lui laissait la gorge découverte et, ainsi parée, se plaça ostensiblement en face de la chaire. Sans résultat. Alors, elle publia que la grâce l'avait touchée, que le père de la Grange serait l'instrument de son salut et elle obtint du Saint-Siège la permission de l'avoir pour confesseur.

Le père reçut à la fois cette nouvelle et l'invitation à se rendre chez sa pénitente qui possédait une chapelle particulière. Ses supérieurs l'empêchèrent de refuser. Mme de Villars l'attaqua sitôt qu'elle le tint entre les rideaux du confessionnal. En vain le malheureux capucin multipliait les signes de croix, les reproches et les exhortations. La belle insistait, révélait ses charmes les plus secrets. Il s'enfuit, la laissant « demi-folle ». Mais non résignée à sa défaite. Le père de la Grange ayant réussi à sortir du Havre bien que les portes en eussent été fermées, Mme de Villars sauta en selle, poursuivit le fugitif, le rejoignit dans un bois, essaya une fois encore le pouvoir de ses attraits. Peu galant, le capucin la bouscula, lui prit son cheval et galopa jusqu'à Paris.

Julienne s'y rendit à son tour, fit annoncer qu'elle était malade, mourante, réclama l'assistance du père. Celui-ci ne bronchant pas, elle prit le parti de guérir et se consola avec M. de Chevreuse.

Liaison orageuse! A l'issue d'une scène particulièrement violente, cette femme volcanique voulut se suicider en avalant des diamants! Elle survécut néanmoins fort longtemps, au-delà de la Fronde. On la regardait alors comme le témoin bizarre d'un âge quasi fabuleux.

***

Nous nous étendrons davantage sur l'affaire de Ravalet parce que cette terrible histoire caractérise parfaitement une génération ignorante de Shakespeare, mais bien digne de l'inspirer.

Jean III de Ravalet, seigneur de Tourlaville par la grâce de son oncle, le puissant abbé de Hambye, appartenait à la noblesse normande. Placé pendant les guerres sous les ordres du maréchal-gouverneur de Matignon, il retrouvait en son domaine la puissance féodale.

De son épouse, Madeleine, qui aimait Ronsard et le *Roman de la Rose*, il eut quatre fils et quatre filles. Julien, né en 1582, et Marguerite, née en 1586, se ressemblaient de façon singulière. On les appelait « le beau garçon », « la belle damoiselle ». Dès le premier âge ces enfants furent ravis l'un de l'autre. Ils partageaient le même lit et ne se quittaient jamais, dédaignant la compagnie de leur famille, des voisins. Et chacun d'admirer ce couple adorable.

Quand Julien atteignit douze ans, il dut partir pour le collège de Coutances. Les larmes qui coulèrent au moment de la séparation ne furent point des larmes puériles. *Marguerite avait huit ans*. Elle manifesta un vrai désespoir de femme, puis sombra dans la mélancolie. En quatre années Julien acheva ses études, s'initia au plaisir et perdit le souvenir de ses premières émotions. Sa sœur ne fit que l'attendre.

Lorsqu'ils se revirent, il avait seize ans, elle douze et leur beauté rayonnait. Marguerite voulut, semble-t-il, résister aux mouvements de son cœur, mais un sourire de l'adolescent reconquis suffit à lui ôter sa force. Hélas! le couple n'attendrissait déjà plus. S'il méritait d'être admiré, il provoquait surtout de l'inquiétude.

Les parents, longtemps aveugles, comprirent enfin le danger. Après avoir consulté l'abbé de Hambye, ils décidèrent de vouer leur fils à l'Église et de marier promptement leur fille. Sages projets, dont la réalisation exigeait quelque patience. Or la passion des deux enfants avait déjà brisé toutes les digues. Ni Julien ni Marguerite ne songeaient à la satisfaire en usant des méthodes raffinées que M. d'Urfé commençait à décrire. Ils ne songeaient même pas à bien cacher leurs amours. Au printemps 1599, M. et Mme de Tourlaville ne purent ignorer de quel déshonneur leur maison venait d'être souillée.

Ils voulurent au moins éviter le scandale. Julien fut envoyé à Paris, au collège de Navarre, afin d'y recevoir deux années durant des leçons de théologie. Pendant ce temps, Marguerite aurait trouvé un époux, un maître. C'était l'année même où sur le pont Saint-Ange tombaient les têtes de Béatrice Cenci et de ses frères.

Les circonstances conduisirent les Ravalet à s'accommoder du premier gendre venu. Jean Lefebvre, sieur du Haupitois, receveur des tailles en l'élection de Valognes, possédait une grosse fortune, mais il était de petite naissance, il avait quarante-cinq ans, un visage ingrat, une âme sèche et dure. Il représentait à merveille le méchant barbon monstrueusement épris d'une fée de treize ans. Marguerite se trouvait hors d'état de résister.

Au mois de juin 1600, Lefebvre mena triomphalement à son hôtel de Valognes une épouse-enfant qui — ô déchéance — s'appelait désormais la demoiselle de Haupitois [1]. Cette beauté digne d'éblouir la Cour découvrit les servitudes attachées à sa nouvelle condition et que les écus d'or étaient impuissants à modifier.

Ainsi, à l'inverse des nobles dames, elle ne portait point de masque, circulait à pied dans les rues et voyageait en croupe de son mari. Menues blessures bien propres à fortifier sa haine contre le receveur des tailles.

1. Jean Lefebvre n'avait pas une naissance telle que sa femme pût prétendre à être « Madame ».

A Noël, Julien se rendit chez son beau-frère qui, ne sachant rien, lui fit grand accueil. Cette harmonie dura peu. Les amants incestueux étaient retombés aux bras l'un de l'autre et méprisaient toujours la prudence. Lefebvre conçut des soupçons, pria Julien de ne point reparaître. Après quoi la maison devint, comme on l'imagine, une antichambre de l'enfer. A la suite d'une scène brutale, Marguerite accoucha avant terme d'une fille, Louise, dont elle-même peut-être ignorait le vrai père. Elle avait quatorze ans et huit mois.

Au printemps 1602, la jeune femme s'enfuit du domicile conjugal. Son mari courut la chercher à Saint-Remy-des-Landes où elle avait trouvé refuge chez l'avocat Jallot, la ramena au logis et désormais la traita en prisonnière. La belle Ravalet dut abandonner la coiffure en arceaux pour les affiquets des bourgeoises, le brocart et le velours pour la futaine, la chambre d'honneur pour un des galetas réservés aux servantes. Sa sœur Gabrielle, âgée de douze ans, vint noblement partager sa captivité.

Malgré l'épaisseur des murs, les scènes de violence réveillaient le voisinage. Marguerite affirma plus tard qu'au cours d'une de ces bagarres son mari lui rompit une côte.

Une intervention de M. de Tourlaville permit à la malheureuse de réintégrer la chambre d'honneur et de préparer une nouvelle évasion. Une nuit de septembre, pendant l'absence de son persécuteur, elle mit un habit d'homme secrètement envoyé par son frère, se glissa dans l'écurie, sauta en selle et, véritable héroïne de roman, galopa jusqu'à Saint-Remy-des-Landes.

Cette fois, Lefebvre renonça à la poursuivre — peut-être parce qu'elle l'accusait d'avoir violenté un jeune paysan — et, après une brève négociation, la fugitive rentra victorieusement à Tourlaville. Julien l'y rejoignit bientôt. Les parents, prompts à se leurrer, les croyaient repentants, guéris. La livrée se montrait moins crédule, notamment un nouveau valet, amant de la camériste de Mlle de Haupitois.

Ce garçon avait remarqué d'étranges promenades nocturnes auxquelles se livrait le jeune Ravalet. Il osa suivre son maître à travers le labyrinthe de couloirs et d'escaliers qui reliait la tour du Sud-Ouest à la tour du Sud-Est, arriva devant la chambre de Marguerite. La porte sous laquelle la lumière traçait une raie brillante était mal fermée. L'homme la poussa et fut témoin d'une scène dont il demeura confondu. Doutant peut-être de ses yeux, il recommença son manège le lendemain, obtint le même résultat, sans éveiller l'attention des amoureux fascinés l'un par l'autre.

Le majordome fut averti. Vieux serviteur de la famille, il menaça l'indiscret d'un poignard, exigea son silence sous peine de mort. Le laquais promit. Dès le lendemain il se sauvait à Valognes. Huit jours après, M. de Tourlaville recevait de Jean Lefebvre une longue missive où ses enfants étaient dénoncés comme incestueux et adultères.

Le vieux seigneur, anéanti, fit aussitôt arrêter Julien et Marguerite, ainsi qu'il en avait le droit seigneurial, mais sa rigueur fléchit promptement. Pendant la nuit du 27 décembre 1602, Marguerite, coutumière de ce genre d'équipée, s'enfuit à Fougères. Là, cette femme que les romantiques sont impardonnables d'avoir négligée, prit un vêtement d'homme, coupa sa chevelure et, dans un sac de satin blanc, la fit porter à son frère.

Julien, naturellement, accourut. Derrière les remparts de la cité bretonne ils furent amants de nouveau et méprisèrent les moindres ménagements. Bientôt la jeune femme fut enceinte.

Les gens de Fougères observaient avec curiosité le frère et la sœur dont la ressemblance saisissait d'autant plus que Marguerite portait un habit masculin. Ils ne soupçonnaient pas, cependant, les véritables relations de cette dame malheureuse, résolue, disait-elle, à se retirer en un monastère, et du garçon anxieux de la protéger contre un indigne mari.

Six mois passèrent, six mois d'un bonheur qui appelait la

foudre. Puis, craignant un rapt, le couple décida de gagner la capitale où, après une halte en Normandie, il arriva le 7 septembre 1603.

Les églises pouvaient, le cas échéant, être des lieux d'asile. C'est face à l'église Saint-Leu, en l'hôtellerie du même nom [1], que descendirent les voyageurs avec leurs trois domestiques.

Ils ne se doutaient pas que Jean Lefebvre, bien renseigné par divers espions, les avait depuis quatre jours précédés à Paris et qu'une escorte de témoins à charge l'y accompagnait. Depuis quatre jours le receveur et ses gens battaient le pavé de la ville, impatients de saisir leur proie.

Le 8 septembre, Julien alla boire un verre de vin à l'auberge de l'Ane-Rayé et, non loin de la porte aux Peintres, il aperçut son beau-frère! Sans parler à Marguerite de cette funeste rencontre, il lui montra les dangers de la cohabitation, puis s'en fut louer une chambre au *Petit-Panier*, rue Tirechape. Or, il commettait la faute de circuler masqué, chose fort naturelle pour une femme, nullement pour un homme. Jean Lefebvre, qui l'avait reconnu à la porte des Peintres, avait pu ainsi lui mettre aux trousses un de ses valets. Aucun mouvement de Julien n'échappait à l'ennemi.

Le jeune homme passa la nuit seul rue Tirechape, en s'applaudissant de cette sagesse héroïque. Dès l'aube Lefebvre en personne l'y guettait.

Le receveur vit sortir son rival, le suivit jusqu'à la porte de l'hôtellerie de Saint-Leu. Au bout d'un moment il franchit le seuil, demanda à l'hôtesse quelques renseignements qui lui prouvèrent la présence de sa femme. Il dit qu'il reviendrait bientôt saluer cette dame, sa parente, et se précipita au Grand Châtelet, déjà dépositaire de sa requête contre l'inceste conjugal.

1. A l'emplacement du 111 de l'actuelle rue Saint-Denis.

Le receveur connaissait bien les formes de la loi. Le commissaire de service, ayant derechef enregistré sa plainte, requit un sergent, quatre archers, son clerc, son huissier. Puis, drapé dans sa robe noire, se dirigea majestueusement vers l'hôtellerie de Saint-Leu.

Prévenu par l'hôtesse d'une visite inquiétante, Julien n'y était plus. Mais Marguerite fut arrêtée ainsi que ses domestiques. Une heure après, au *Petit-Panier*, son frère subissait le même sort. Tous deux, à l'issue d'un bref interrogatoire, se virent incarcérés en des chambres assez confortables situées aux étages supérieurs du Châtelet et réservées aux membres de la noblesse. Le valet, les servantes découvrirent l'horreur sans nom du *bas étage*.

Le commissaire Chassebras, un ancien ligueur, conduisit l'instruction avec un zèle implacable. Marguerite, enceinte de huit mois, était séparée de son époux depuis un an. Interrogée sur l'identité du père, elle accusa un tailleur ambulant, Robert Agnès, qui, à son tour, connut au *bas étage* les limites de la déchéance humaine. Julien, de son côté, s'accusa d'avoir séduit et abandonné une jeune fille. Comme sa sœur il niait farouchement l'inceste, mais les preuves accumulées par Lefebvre étouffaient leurs cris d'indignation.

Le 25 septembre, six jours après la clôture de l'instruction, Marguerite accoucha d'un fils. Sa jeunesse, sa beauté, ses amours extraordinaires touchèrent bien des cœurs. Il y eut en sa faveur un mouvement d'opinion parmi ce peuple parisien toujours prêt à vibrer.

Les juges, pressés d'en finir, rendirent le 5 novembre une sentence prescrivant de soumettre les Ravalet à la question ordinaire et extraordinaire. Au dernier moment, devant les chevalets et les tenailles, ils y renoncèrent, comprenant sans doute à l'attitude des deux enfants que les dernières souffrances ne leur tireraient pas un mot.

Les inculpés en profitèrent, interjetèrent appel devant le

Parlement. Dès le 15 novembre, leur procès s'ouvrit à la Chambre de la Tournelle. La Cour et la Ville s'y ruèrent.

Julien et Marguerite subirent impavidement les interrogatoires du président Édouard Molé, la jeune femme continuant d'accabler le pauvre tailleur Agnès qui se justifia de son mieux. Le conseiller Courtin, rapporteur, demanda la mort. L'avocat commis d'office s'avéra fort médiocre. Nul ne douta de l'issue.

Pendant ce temps M. de Tourlaville assiégeait les hôtels de ses amis. Le puissant Villeroy, secrétaire d'État du premier Bourbon, après l'avoir été des trois derniers Valois, eut pitié de lui, obtint une audience royale et le mena au Louvre. Henri IV les reçut dans le cabinet de la Reine. Tourlaville se jeta à ses pieds, répandit un flot de larmes, invoqua l'honneur de son nom, la vilenie de Lefebvre, les services de M. de Hambye, demanda grâce. Villeroy l'appuya.

Le Roi dit qu'il avait promis au Parlement de ne plus délivrer de lettres d'abolition. L'adultère, l'inceste et les autres crimes suscités par ces désordres allaient se multipliant. Il fallait des exemples. Marie de Médicis leva les bras au ciel lorsqu'elle comprit de quoi il s'agissait. D'une voix perçante aux sonorités italiennes, elle adjura le Roi de sévir.

Tourlaville le supplia d'épargner au moins Marguerite. Sa Majesté refusa encore : absoudre la sœur serait condamner deux fois le frère. Une seule faveur paraissait possible et elle était accordée de grand cœur à une famille ancienne, noble, fidèle. M. de Tourlaville aurait le droit d'inhumer honorablement ses enfants dont les restes ne se perdraient pas dans le charnier de Montfaucon.

Le 2 décembre, conformément à la règle, les magistrats gagnèrent leurs sièges dès sept heures du matin. Ce jour-là, ils devaient rendre dix-sept arrêts et se prononcer sur sept « procès par écrit ». Une foule immense grouillait à l'intérieur du Palais, bouchait les rues avoisinantes.

Dix heures sonnaient quand le président Molé lut l'arrêt définitif qui condamnait les Ravalet à la peine capitale, acquittait le tailleur, livrait à Lefebvre la dot de sa femme et enjoignait à Tourlaville de nourrir le petit-fils né de ses deux enfants.

La sentence était miséricordieuse : elle vouait les amants incestueux à l'échafaud, non aux flammes que la coutume leur destinait.

A onze heures, les deux jeunes gens apprirent leur sort de la bouche du conseiller Courtin. Alors se produisit une scène grandiose. Oubliant la fable dont l'innocent tailleur aurait pu être la victime, Marguerite cria qu'elle seule était coupable, qu'elle seule méritait le châtiment suprême. Elle avait abusé de la tendresse d'un frère au point de jeter ce malheureux à l'abîme, elle l'avait obsédé de ses prières, de ses baisers, des ruses les plus perverses de sa coquetterie jusqu'à lui faire perdre la raison. Elle se tenait donc prête à expier, à brûler toute vive. Mais qu'on laissât Julien au service du Roi, qu'on lui permît au moins de chercher en combattant une mort digne de lui!

Le greffier, troublé, demanda s'il fallait consigner ces paroles. Courtin le lui interdit. Au même moment, le bourreau, présent selon l'usage, tombait aux pieds de la jeune femme et lui demandait son pardon. Marguerite acquiesça machinalement puis, voyant la partie perdue, se retourna vers Julien et prononça d'une voix ferme :

« Eh bien! mourons, mon frère! »

A midi, les deux jeunes gens franchirent la porte du Palais et, les mains liées derrière le dos, prirent place sur les banquettes du tombereau qui, sept ans après, devait être celui de Ravaillac. La foule ne témoignait pas cette fois d'un plaisir cannibale. Des femmes pleuraient. Tout le long du parcours une exclamation résonna, comme répercutée par un écho sans fin :

« Qu'ils sont jeunes, qu'ils sont beaux! »

Marguerite portait une robe de soie grise mouchetée d'argent avec un grand rabat et de hautes manchettes de dentelles ; Julien un pourpoint de drap gris brodé d'or, des chausses de satin noir, un petit manteau noir, des souliers à bouffettes.

A une heure seulement le tombereau atteignit la place de Grève où les archers contenaient difficilement la multitude. Les grands seigneurs se penchaient aux fenêtres de l'Hôtel de Ville. Antoine Fusi, curé de Saint-Leu et de Saint-Barthélemy, docteur en théologie au collège de Navarre, qui avait assisté les condamnés, leur renouvela l'absolution *in articulo mortis* lorsqu'ils gravirent les marches de l'échafaud, haut de douze pieds, large de vingt.

Marguerite écarta rudement le bourreau qui voulait couper sa chevelure redevenue admirable.

« Ne me touche pas ! »

Elle se banda elle-même les yeux, s'agenouilla devant le billot. L'exécuteur brandit l'énorme épée de justice — dissimulée jusque-là sous une étoffe — et, d'un seul coup, trancha sa tête charmante.

Julien, quand son tour fut venu, vit le corps mutilé. Il eut un instant de faiblesse, mais se ressaisit promptement, repoussa le bandeau. Sa tête tomba, les yeux ouverts. Et son sang se mêla au sang trop pareil de sa bien-aimée. Il avait vingt et un ans, elle n'en avait pas encore dix-sept. Le bourreau pleurait.

Nul ne s'était soucié de la sépulture. A la demande du curé de Saint-Leu, les religieuses de l'hospice des Haudriettes donnèrent les derniers soins aux cadavres, l'hôpital du Saint-Esprit fournit deux cercueils. Antoine Fusi, assisté des religieuses et des frères hospitaliers, y plaça Marguerite et Julien. Puis il alla chercher M. de Tourlaville. Tous deux obtinrent de Jean Filesac, curé de Saint-Jean-de-Grève, que cette église protégeât le dernier repos des enfants perdus.

Les frères hospitaliers apportèrent les cercueils, escortés par les Haudriettes en robe brune et guimpe blanche, un cierge à la main. Le « beau garçon », la « belle damoiselle » furent ensevelis à gauche du porche, devant la chapelle de la Communion. Leur pierre tombale reçut une inscription dont Barbey d'Aurevilly aimait l'austère grandeur :

Cy gisent le Frère
et la Sœur.
Passant, ne t'informe point
de la cause de leur mort.
Passe et prie Dieu
pour leur ame.

TEXTES CONSULTÉS

INTRODUCTION

I. — LA FRANCE DE 1589

II. — LA FRANCE DE 1610

BONNEROT. *Les Routes de France*, 1926.

ROBERT DALLINGTON. *The view of France*, 1598, *trad.*, 1892, Emerique.

FAGNIEZ. *L'Économie sociale de la France sous Henri IV*, 1897.

ALFRED FRANKLIN. *Journal du Siège de Paris en 1590 d'après un manuscrit de la Bibliothèque Mazarine et précédé d'une étude sur les mœurs et coutumes des Parisiens au XVIe siècle, Parsi*, Willem, 1876, in-8°, XV, 325 p.

ALFRED FRANKLIN. *Paris au XVIe siècle.*

GABRIEL HANOTAUX. *La France en 1614.*

HENRY DE JOUVENEL. *Huit Cents Ans de révolution française.*

LA FARE. *Mémoires.*

ISAAC LAFFEMAS. *Histoire du Commerce de France en 1606*, réimp. in *Archives curieuses*, 1re série, tome 14.

L'ESTOILE. *Mémoires-Journaux*, Paris, éd. Gallimard.

THOMAS PLATTER le jeune, Bâlois. *Description de Paris en 1599*, publié 1896, in *Mémoires de la Société de l'Histoire de Paris*, tome XXIII.

POIRSON (A.). *Histoire du Règne de Henri IV*, Paris, 1856, 3 vol. in-8°.

ROBIQUET (P.). *Histoire municipale de Paris*, tome 3, 1904.

TRELLON. *Le Cavalier parfait.*

PREMIÈRE PARTIE

LE CLIMAT PSYCHOLOGIQUE

I. L'ESPRIT RELIGIEUX

NICOLAS CHORIER. *Vie de Prunier de Saint-André.*

GEORGES GOYAU. *Histoire religieuse de la Nation française* (vol. V de *L'Histoire de la Nation française* de G. Hanotaux).

ABBÉ BREMOND. *Histoire littéraire du Sentiment religieux en France*, tomes 1 et 2.

MONTAIGNE. *Essais* (Apologie de Raymond Sebond).

II. LE DIABLE. — III. SORCIERS ET SABBATS. — IV. L'EXEMPLE DONNÉ A SALEM

BODIN. *De la Démonomanie des Sorciers*, Lyon, 1587.
H. BOGUET. *Discours exécrable des Sorciers, ensemble leur procez*, Rouen, 1603, in-12°.
TH. DE CAUZONS. *La Magie et la Sorcellerie en France*, Paris, 1910, Dorbon aîné.
LOUIS CHOCHOD. *Histoire de la Magie et de ses Dogmes*, Payot, 1949.
CRESPET, prieur des Célestins. *Deux Livres de la Haine de Satan*, Paris, 1590.
DELCAMBRE. *Le Concept de Sorcellerie dans le Duché de Lorraine aux XVIe-XVIIe siècles*, Nancy, 1948, 3 vol.
DEL RIO. *Les Controverses et Recherches magiques*, Paris, 1611.
J.-G. FRAZER. *Le Cycle du Rameau d'or*, Paris, Geuthner, 1935.
MAURICE GARÇON, de l'Académie française, et J. VINCHON. *Le Diable*, Paris, Gallimard éd., 1926.
DE LANCRE. *Tableau de l'Inconstance des mauvais anges et démons*, Paris, 1613.
CHANOINE LECANU. *Histoire de Satan*, 1882.
LE LOYER, conseiller du roi au présidial d'Angers. *Discours et Histoire des spectres*, Paris, 1605.
E. LOCARD. *Le XVIIe Siècle médico-judiciaire*, Lyon, Strek, 1902.
ALEC MELLOR. *La Torture*. Paris, Les Horizons Littéraires, 1949, 319 p.
MICHAELIS. *Discours des Esprits*, 1613.
J. MICHELET. *La Sorcière*.
J. MICHELET. *Histoire de France*.
PAUL MORELLE. *Histoire de la Sorcellerie*, Paris, 1946.
MARGARET ALICE MUCRAY. *The witch cult in western Europe*, XVI-XVII centuries, Oxford, 1921.
JEAN PALOU. *La Sorcellerie*, Paris, P. U. F., 1957, collect. « Que sais-je ? »
H. PENSA. *Sorcellerie et Religion. Du désordre dans les esprits aux XVIIe et XVIIIe siècles*, Paris, 1933, in-8°.
SANCHEZ. *De Matrimonio* (Du Mariage).
THORNDIKE (LYNN). *A history of magic and experimental science*, vol. 5 et 6, Le XVIe siècle, New York, Columbia University press.
VAIR. *Trois Livres des charmes, sorcelages et enchantements*, Paris, 1583.
JEAN WIER. *De Praestigiis*, Bâle, 1568.

DEUXIÈME PARTIE

LA SOCIÉTÉ

I. LA COUR

LOUIS BATIFFOL. *Le Louvre sous Henri IV et Louis XIII*, Paris, 1930.
LOUIS BATIFFOL. *La Vie intime d'une reine de France (Marie de Médicis)*, Paris, 1906.
C. MILLON. *Cérémonial du Sacre des Rois de France*, La Rochelle, 1931.

II. LE CLERGÉ

DOM BESSE. *Abbayes et Prieurés de France*, 1906, 8 vol.
CH.-P. BLONDEL. *Le Cardinal du Perron*, Sens, 1899.
P.-M. FOUQUERAY. *Histoire de la Compagnie de Jésus en France*, tomes II et III, Paris, 1913 et 1922.
P. FOURIER. *La Pratique des Curés.*
ABBÉ HOUSSAYE. *M. de Bérulle et les Carmélites de France*, 1575-1611, Paris, 1872, Plon.
P. PISANI. *Les Compagnies de prêtres du XVIe au XVIIIe siècle*, 1926.

III. LA NOBLESSE ET L'ARMÉE

AUBIGNÉ (AGRIPPA). *Histoire universelle*, 3 vol. in-8°, éd. A. de Ruble, Société Histoire de France, Paris, 1886-1889.
DUC D'AUMALE. *Histoire des princes de Condé.*
CELIN, REBOUL et FRANCHET D'ESPEREY. *Histoire Militaire*, in *Histoire de la Nation française*, de HANOTAUX.
A. GARNIER. *Agrippa d'Aubigné*, 3 vol., Paris, 1928.
A. LAVONDES. *Olivier de Serres*, Paris, 1937.
MONTLUC (BLAISE DE). *Commentaires*, Bordeaux, 1592, éd. P. Courteault, 1911.
OLIVIER DE SERRES. *Théâtre d'Agriculture ou Mesnage des Champs*, 1600.
SULLY. *Mémoires*, publiés par M. l'Abbé de l'Écluse des Loges.
TALLEMANT DES RÉAUX. *Historiettes*, Paris, éd. Garnier, 7 vol.
P. DE VAISSIÈRE. *Les Gentilshommes campagnards*, 1903.
P. DE VAISSIÈRE. *Scènes et Tableaux du règne de Henri IV*, 1935.
WEYGAND (Général), de l'Académie française. *Histoire de l'Armée française.*

IV. LA BOURGEOISIE. — V. LE PEUPLE DES VILLES

A. FRANKLIN. *Paris au XVIe siècle.*
MARTIN SAINT-LÉON. *Le Compagnonnage*, 1901.
GABRIEL HANOTAUX. *La France en 1614.*

VI. LES PAYSANS

MARC BLOCH. *Les Caractères généraux de l'Histoire rurale française*, 1952, suppl. 1956.
DARESTE. *Histoire des Classes agricoles en France depuis saint Louis jusqu'à Louis XV*, 1854.
CLAUDE GAUCHET. 1540-1620 ? de Dammartin-en-Goëlle, *Le Plaisir des Champs*, 1583.

GIRARD. *La Vie rurale au XVIIe siècle*, in *Revue des Questions historiques*, octobre 1910.
GEORGES LIZERAND. *Le Régime rural de l'ancienne France*, P. U. F., 1942.
GASTON ROUPNEL. *La Ville et la Campagne au XVIIe siècle*, Paris, Armand Colin, éd., 1952.

VII. LE MONDE PROTESTANT

PAUL DE FELICE. *Les Protestants d'autrefois*, 3 vol. in-16°, 1897-1902.
HENRY LEHR. *Les Protestants d'autrefois*, tome 1, « Mer et Outre-Mer, tome 2, « Vie et institution militaires », 2 vol. 1901-1907.
ÉMILE-L. LEONARD. *Le Protestant français*, Paris, P. U. F., 1953.
Pasteur JACQUES PANNIER. *L'Église réformée de Paris sous Henri IV, rapports de l'Église et de l'État*, thèse, éd. Champion, 1911.
Pasteur JOHN VIENOT. *Histoire de la Réforme française*, tome 1, 1926, tome 2, 1934.

TROISIÈME PARTIE

L'INDIVIDU

I. LA FORMATION

E. ALLAIN. *L'instruction primaire en France avant la Révolution*, 1875.
BOURCHENIN. *Étude sur les Académies protestantes en France aux XVIe et XVIIe siècles*, 1882.
M. COMPAYRE. *Histoire critique des doctrines de l'éducation en France depuis le XIIe siècle*, Paris, 2 vol. in-12°, 1889.
R. DOUCET. *Les Institutions de la France au XVIe siècle*, tome 2.
G. DUPONT-FERRIER. *Du Collège de Clermont au lycée Louis-le-Grand*, 1921, 3 vol., tome 1.
GAUFRES. *L'Enseignement protestant sous l'Édit de Nantes* (les Collèges) dans le bulletin d'Histoire du Protestantisme français, 1898.
G. HANOTAUX et DUC DE LA FORCE, de l'Académie française. *Histoire du Cardinal de Richelieu*, tome 1.
JOURDAIN. *Histoire de l'Université de Paris aux XVIIe et XVIIIe siècles*, tome 1.
LANTOINE. *Histoire de l'enseignement secondaire en France au XVIIe siècle*, 1874.
NICOLET. *L'école primaire protestante en France*, Auxerre, 1891.
QUICHERAT. *Histoire de Sainte-Barbe*, 1863, 3 vol. in-8°.
F. VIAL. *Trois Siècles d'Enseignement secondaire*, 1936, Delagrave.

II. LE MARIAGE

D'AUBIGNÉ. *Mémoires*, éd. Réaume.
NOEL DU FAIL. Œuvres.
FAGNIEZ (GUSTAVE). *La Femme et la Société française dans la première moitié du XVIIe siècle*, préface de Funck-Brentano, Paris, 1929.
GODEFROI. *Le Cérémonial français.*
HARDOUIN DE PÉRÉFIXE. *Histoire de Henry le Grand.*
G. REYNIER. *La Femme au XVIIe siècle*, Tallandier, 1929.
J.-B. THIERS. *Traité des Superstitions.*
MARGUERITE DE VALOIS. *Mémoires.*

III. LE FEU ET L'EAU. — IV. LES PLAISIRS. — V. LA SANTÉ

J. LÉONARD, ANDRÉ BONNET. *Histoire générale de la Chirurgie dentaire*, Éditions du Fleuve, Lyon.
BRUN. *Le Livre français*, Larousse, 1948.
Lieutenant-Colonel H. CARRÉ. *Jeux et Divertissements des Rois de France.*
JOSEPH DUSCHENE, médecin du roi. *Le Pourtrait de la Santé.*
GUILLEMEAU. *Œuvres de Chirurgie.*
HÉROARD. *Journal sur l'Enfance de Louis XIII*, 1601-1628, Didot éd., 1868, 2 vol. in-8°.
LAURENT-JOUBERT. *Des Erreurs populaires et des propos vulgaires touchant la médecine*, 1578, réédité en 1608.
JEAN-ALEXIS NERET. *Histoire illustrée de la Librairie et du Livre français*, 1953.

VI. CROISADE CONTRE LA BARBARIE. — VII. L'AMOUR

L'ANONYME de 1604. *Supplice d'un Frère et d'une Sœur décapités en Grève pour Adultère et Inceste.*
MAURICE BARDON. *Don Quichotte en France au XVIIe et au XVIIIe siècle*, 1931.
PIERRE DE L'ESTOILE. *Mémoire-Journal du règne de Henri IV.*
M. MAGENDIE. *La Politesse mondaine et les théories de l'honnêteté en France au XVIIe siècle de 1600 à 1660*, Paris, P. U. F., 1925.
M. MAGENDIE. *De l'Astrée au Grand Cyrus*, Droz, 1932, Le Roman français au XVIIe siècle.
M. MAGENDIE. *Le Premier des Romans français : l'Astrée*, Analyse et extraits, Paris, Perrin, 1928.
TANCRÈDE MARTEL. *Julien et Marguerite de Ravalet*, 1582-1603, Paris, éd. Lemerre, 1920.
O. REURE. *La Vie et les Œuvres d'Honoré d'Urfé*, 1910, Plon éd.
FRANÇOIS DE ROSSET. *Les Histoires tragiques de notre temps*, etc., cinquième histoire : *Des Amours incestueuses d'un frère et d'une sœur et de leur fin malheureuse et tragique*, 1619.
TALLEMANT DE RÉAUX. *Historiettes.*

TABLE DES MATIÈRES

INTRODUCTION

PREMIÈRE PARTIE

LE CLIMAT PSYCHOLOGIQUE

DEUXIÈME PARTIE

LA SOCIÉTÉ

TROISIÈME PARTIE

L'INDIVIDU

LIBRAIRIE HACHETTE
Paris-N° 6764
Dépôt légal : 3e trim. 1958

Imprimé en France.

Imprimerie CRÊTÉ
Paris, Corbeil-Essonnes
N° 413-I-8-1958

Date Due
3 5282 00267 3187